U0134836

千面八面

八仙山的百年樣貌

蔡金鼎、管雅菁 著

王志誠 主編

千面八面

八仙山的百年樣貌

CONTENTS

千面八面

八仙山的百年樣貌

CONTENTS

市長序
厚植臺中的在地文化

林佳龍

臺中位於臺灣南北交通的中點，氣候宜人，資源豐富，擁有良好的生活機能，更有優美的城市風景。多年來，我們積極活化市區，為市民打造一個生活的好所在，並且致力發展人文產業，為臺灣建立一座嶄新的文化城。

新臺灣國策智庫於 2018 年五月公布，臺中市是六都民眾心目中的最佳宜居城市，這是我們連續四次獲此殊榮，也是所有臺中市民努力的成果。除了推動城市建設，我們還要厚植在地文化，才能擁有豐富的精神生活，從「希望的臺中」邁向「進步的臺中」。

世界各地的重要城市都有自己的定位與特色，由文化局策畫出版的「臺中學」系列叢書，呈現出臺中市的獨特歷史脈絡和優質人文風貌，在 2016 年和 2017 年都受到文化界和學術界人士的關注與肯定。第一輯的主題包括臺中公園、林獻堂、葫蘆墩圳、清水及珍奶茶飲；第二輯的主題則有臺中火車站、第二市場、中央書局、天外天劇場及膠彩畫家林之助，充實的內容獲得各界的一致好評，引

領讀者們深入認識臺中在地文化。

　　今年出版的「臺中學」第三輯，延續先前的嚴謹製作流程，特別邀請文史學者深入描寫楊肇嘉、八仙山、霧峰、客家聚落大茅埔、后里馬場以及和平區的原住民聚落，林景淵、蘇全正、蔡金鼎、管雅菁、林德俊、陳介英、林慶弧、郭双富、鄭安睎，透過充滿溫度的文字敘述和精采的圖示，帶領讀者穿越時光隧道，探索先人走過的痕跡，進而瞭解這些珍貴的歷史文化，如何造就出臺中現今的多元樣貌。

　　臺中人文薈萃，是名副其實的希望之城，也是富於文化底蘊的城市，建立在共生、共榮、共好的基礎上。讓我們透過閱讀的力量，把希望變成進行式，在追求進步的同時，也要珍惜自身擁有的文化資產，才能培養深厚的文化內涵，然後穩定地邁向新的階段，創造出人本、永續、活力的臺中。臺中的改變，會帶領臺灣的改變；臺中的進步，也會帶來臺灣的進步。

擁有豐富內涵的城市

王志城

　　臺中曾經是臺灣省城的所在地，其重要性不言可喻。臺中市的山、海、屯、城區開發，是一部生動的庶民墾荒史，值得我們深入研究，瞭解這塊土地的身世背景，才能產生情感連結，進而強化自我認同。

　　近年來，臺中市政府積極建構「臺中學」，讓社會大眾從自然、人文、歷史、地理等多方面的角度，廣泛認識這個擁有豐富文化內涵的城市。每一輯「臺中學」叢書皆是由專業的文史工作者執筆，選取能夠彰顯臺中特色的地景、人物和題材，呈現這座城市的不同風貌。透過這套書的內容，我們可以重溫百年來的城市風華，見證古時的純樸生活，檢視現在的繁榮進步，由此鑑往知來，讓臺中人更加珍惜自己擁有的一切。

　　延續第一輯與第二輯的內容規劃，第三輯「臺中學」選取臺中社運家楊肇嘉作為指標人物，由歷史學者蘇全正和林景淵執筆，《劍膽琴心：跨越兩個時代的六然居士楊肇嘉》介紹這位來自清水的仕紳如何投入民族運動、倡導地方自治。霧峰舊名「阿罩霧」，擁有美好的田園景致和優雅的藝文空間，作家林德俊（小熊老師）在《霧繞罩峰：阿罩霧的時光綠廊》詳述自己的老家如何成為引人入勝的文化小城。

為了讓「臺中學」的研究擴及大臺中全區域，我們前進后里，探索后里馬場的建設經過與經營特色，由修平科技大學副教授林慶弧、臺灣文史學者郭双富寫成《奔騰年代：牧馬中樞的后里馬場》。八仙山是中部推廣森林環境教育的重要基地之一，《千面八面：八仙山的百年樣貌》作者蔡金鼎、管雅菁從事社區營造工作多年，書寫臺灣林業經濟發展的興衰，以及當地人士造林、育林的生活轉變，其中蘊含幾代人的共同回憶。

　　逢甲大學陳介英教授擅長經濟社會與文化發展的研究，《茅埔成庄：東勢大茅埔客庄的過去與未來》呈現出客家庄的傳統生活，包括族群的衝突與融合，也讓我們看到大茅埔的蛻變。和平區是臺中市轄域內唯一的直轄市山地原住民區，日治時期屬於臺中州東勢郡蕃地，縣市合併前為臺中縣和平鄉，臺中教育大學鄭安睎老師所寫的《願社平和：和平鄉原住民聚落》帶領我們瞭解泰雅族人在此地的生活樣貌。

　　「臺中學」系列叢書問世之後，屢屢榮獲文化部、國史館的獎勵推薦，2018年更獲得金鼎獎優良出版品推薦，以及讀者們的多方肯定。我們希望透過「臺中學」系列，將臺中在地的各種人文薈萃知識進行交流，共同發掘這個城市的美好故事，並讓它們永續傳承下去。

前言 Foreword

與森林談戀愛

蔡金鼎

幾年前開始喜歡爬山，享受森林裡芬多精繚繞的氣味與迷人景觀，從臺中市大坑頭料山山友的溫泡茶水中，慢慢知道從東勢上山還有鳶嘴捎來步道，也開始見識谷關七雄的名號。走了幾次鳶嘴捎來步道，最後一次從大雪山森林遊樂區出來，山友相約再來就走八仙山吧！由靜海寺踏入八仙山步道，印象中有巨石擋道、山高坡陡，如果不是「憨膽」，應該不會選擇這座七雄老大作為挑戰的第一站，從此完成七雄登頂成為無聊中年男子人生的小心願。

　　鳥囀蟲鳴不足以形容林相風貌，偶爾步道上的針葉地毯、突來的濛濛迷霧與驟雨狂下，讓每一次的登高體驗充滿刺激與想像，只是這裡的山林儘管令人嚮往，卻總是多了一點距離，除了時間與路程，還多了幾分敬畏與陌生，一直到開始寫這本八仙山的故事，我才發現自己開始與這座森林談戀愛了。

　　這本八仙山的故事，我們將帶領讀者穿越時空隧道，從國家森林遊樂區的現況，談到日本領臺與泰雅族人的衝突事件，再到八仙山林場開發歷史。我們要說的不只是林場的過去，也不只是現在的國家森林遊樂區的景點，而是希望帶著讀者跟我們一起用理解的熱情親近臺灣的山林，讓每一位臺灣人的心中都有一座八仙山。因此，這本書的付梓，我們有幾個願望邀大家共同來完成。

　　首先，它訴說的是日本治臺以來，臺灣活生生的一部林業經濟發展史。臺灣陸地有近七成的森林，透過了解八仙山林場的故事，我們也希望大家一起來發掘圍繞在我們生活週遭的山

林，讓臺灣的每一座森林都有屬於自己的故事。其次，我們試圖呈現多元的史觀點，〈Salamao：被趕出森林裡的 Atayal〉從日本統治者的「理蕃」與泰雅族人的在 Salamao（梨山）的反抗事件，一個世紀以前的歷史，由一位牧師林誠對母親的口述歷史娓娓道來。〈順路：點點滴滴的回憶〉談的是交通的演變，當政府「前瞻」地以軌道建設作為計畫時，卻在半個世紀以前拆了許多條在地人民交通有無的「軌道」，歷史像一面照妖鏡，鏡裡是自以為是聰明人的豬八戒。

　　最重要的，這本書彰顯了「人的價值」。書中有許多人物的故事，從八仙山國家森林解說志工開始，他們的熱情與專業，無形中拉近了遊客與森林的距離。八仙山林場的開發如果是帶動臺灣經濟的必要，那麼在日本時代，有沒有那一位林業技師的名字應該要被留下來呢？答案是綱島正吉，這位第一任八仙山林場場長，被媒體形容「把前途全押在這一處森林開發的經濟事業裡」。是他決定利用大甲溪水把林木運出，奠定臺灣中部林木事業發展的基礎。政府來臺以後，經歷政治戒嚴、白色恐怖的動盪時期，又是誰穩定八仙山事業林區，成為戰後穩定臺灣經濟的基石呢？答案是戰後第一任場長康健時。他帶領林場安穩度過二二八事件，讓族群矛盾從來沒有在這裡出現過，也讓我們得以在松鶴部落買到原住民製作的外省手工紅藜饅頭。這位日本培養的臺灣林業菁英，長官公署戰後的接收專員，讓省籍衝突從未曾在這裡發生，也在混亂的局勢裡，讓暫時留臺的日本林業技師可以安心工作，〈鳥居的獨白〉就是記

載這群林業菁英的事蹟。

〈杣人物語〉則是老林業人的心聲，記載了戰後林業人員的熱忱，當森林的戰場不見了，他們有的轉而坐在遊樂區服務臺上為民眾解說、訂房；有的轉為林業保育的急先鋒，差一點在迷霧森林裡喪命。九二一地震的世紀災難發生時，這群老林業人堅守崗位，有的是不管東勢家園的傾圮，拼了命往山上踏察災情；有的從東勢管理處的廢墟中整理出一張張泛黃的林場照片，讓幾乎被臺灣人遺忘的八仙山，展現出清晰的容顏。好比一位辛勤農夫耕作一整年以後，看著金黃的稻穗因「保育政策」被禁止收割的錐心之痛。對這群林業人而言，森林裡的每一棵樹木都有生命，都會經歷生、老、病、死，如何在最美好的生命階段與人類發生關係？能否找出一條臺灣人可以「與森林共處」的未來之路，相信是他們最大的心願。

圍繞在生活週遭的加拿大森林。（蔡金鼎攝於溫哥華）

第一章 Chapter 1

【休憩篇】
憩陶：在森林裡遊樂的精靈

「憩陶」是臺語在遊樂玩耍中「休憩、陶冶」的意思，走一趟八仙山森林裡的樂園，我們彷彿精靈般享受著前人播種的果實。八仙山曾經是日本時代三大林場之一，與阿里山、太平山齊名，相較於其它兩座林場因保留完整的林木運輸軌道設施而廣為人知，八仙山則顯得沒落與失色。1965 年八仙山正式停止伐木事業，取而代之的是造林、育林事業。1978 年政府著手計畫設立「八仙山森林遊樂區」，1986 年正式對外營運。從谷關牌樓到八仙山森林遊樂區收費亭入口處不過 1.4 公里，卻是兩個截然不同的觀光景點。有人喜歡谷關溫泉和觀光客橫行的喧囂；有人則喜好沐浴在八仙山森林浴裡，享受鳥囀蟲鳴的吵雜聲，現在就讓我們隨著森林裡的遊樂精靈，一起徜徉在這座充滿芬多精的林野中。

一座國家級的森林遊樂區

八仙山國家森林遊樂區位於臺中市和平區境內，主峰海拔高度 2,366 公尺，折算成臺尺約有「八千」，取其日語諧音而得「八仙」之名。本區擁有適合林木生長的海拔與氣候，豐富的檜木蓄積，原是八仙山林場——佳保臺分場舊址，在臺灣森林開發史上曾有舉足輕重的地位。

——引自八仙山國家森林遊樂區解說摺頁

明治 44 年（1911 年）10 月 6 日是一個值得紀念的日子，

隨著理蕃部隊的推進，日軍發現一片廣袤的檜木林，一開始以「檜山」稱之，後來以其海拔高度命名「八仙山」，緊接著是以林業經濟為主的伐木事業興起。戰後臺灣的森林經營，一方面延續日本時代的餘緒，另一方面則深受美國的影響。1966 年以前，林業政策以林木生產與國土保安為主。1989 年以後，臺灣林業經營改以公務預算編列，而不再是事業單位，著重在林木生產、國土保安與森林遊樂三足鼎立。隨著人們對生態旅遊與生態保育的重視，自然教育、環境綠美化與健康保健等成為近年森林遊樂區主要發展的方向。目前林務局轄下共有 18 座森林遊樂區，分屬於 8 個林區管理處管轄，海拔高度由最低的110 公尺（知本）到最高的 3,884 公尺（武陵），充分展現臺灣地形的多變性與生態的多樣性。

林務局所轄國家森林遊樂區基本資料一覽表

林區管理處	名稱	園區開放	海拔高度（公尺）	面積（公頃）	所在地	景觀特色
羅東	太平山	1989 年	500 ～ 2,000	12,930	宜蘭縣大同鄉	日治時期臺灣三大林場之一。溫泉、高山湖泊、檜木原始林、蹦蹦車及山嵐。
新竹	內洞	1984 年	230 ～ 800	1,191	新北市烏來區	瀑布、溪流、賞蛙。
	滿月圓	1988 年	300 ～ 1,700	1,438	新北市三峽區	瀑布群與楓紅（青楓）。
	東眼山	1991 年	650 ～ 1,212	916	桃園市復興區	地質景觀、生痕化石與賞鳥。
	觀霧	1995 年	1,500 ～ 2,500	907	新竹縣五峰鄉苗栗縣泰安鄉	地形景觀、日出日落及雲霧景觀、觀瀑、紅檜巨木群。
東勢	武陵	1968 年	1,800 ～ 3,884	3,760	宜蘭縣大同鄉臺中市和平區	櫻花鉤吻鮭、原始森林、櫻花、雪景、瀑布。
	大雪山	1986 年	1,800 ～ 2,996	3,962	臺中市和平區	層狀山峰、雲海、晚霞、楓紅。
	八仙山	1978 年	667 ～ 2,938	2,452	臺中市和平區	日治時期臺灣三大林場之一。溪流、巨岩。
	合歡山	1963 年	2,900 ～ 3,421	457	南投縣仁愛鄉花蓮縣秀林鄉	臺灣第一座森林遊樂區。雲海、日出、晚霞、賞雪。
南投	奧萬大	1985 年	1,100 ～ 2,600	2,787	南投縣仁愛鄉	楓香、瀑布和溫泉。
嘉義	阿里山	1984 年	2,000 ～ 2,700	1,397	嘉義縣阿里山鄉	日治時期臺灣三大林場之一。日出、雲海、晚霞、巨木群、櫻花、臺灣一葉蘭及森氏杜鵑。

林區管理處	名稱	園區開放	海拔高度（公尺）	面積（公頃）	所在地	景觀特色
屏東	藤枝	1983 年	500 ～ 1,804	770	高雄市桃源區	雲霧、觀蟲、賞鳥。
	雙流	1965 年	150 ～ 700	1,584	屏東縣獅子鄉	溪流、瀑布。
	墾丁	1969 年	200 ～ 300	75	屏東縣恆春鎮	面積最小之森林遊樂區。熱帶風情、紅尾伯勞、赤腹鷹、灰面鵟、黃鸝；高位珊瑚礁及石灰岩地形。
臺東	知本	1981 年	110 ～ 650	110	臺東縣卑南鄉	常綠闊葉樹次生林、百年大白榕、臺灣蝴蝶蘭、百年酸藤、知本溪流、藥用植物園區。
	向陽	1981 年	2,300 ～ 2,850	362	臺東縣海端鄉	日出、雲海、霧林檜木、帝雉。
花蓮	池南	1981 年	140 ～ 601	169	花蓮縣壽豐鄉	鯉魚潭、自然生態與林業歷史回顧。
	富源	1986 年	200 ～ 750	196	花蓮縣瑞穗鄉	螢火蟲、蝴蝶與冬候鳥。

1. 除了上述 18 處林務局轄屬國家森林遊樂區之外，臺灣尚有 4 座國家森林遊樂區，分別是：棲蘭國家森林遊樂區、明池國家森林遊樂區，由行政院國軍退除役官兵輔導委員會森林開發處經營管理；溪頭國家森林遊樂區，由臺灣大學經營管理；惠蓀國家森林遊樂區，由中興大學經營管理。

2. 部分遊樂區因天災影響可能處於休園狀況，請參考林務局公告訊息。

——本書綜合整理

林務局現有八大林區中，其中又以東勢林區管理處所轄的四大國家森林遊樂區最具特色。也因為如此，吸引了許多人士投入解說志工的行列。今年六十幾歲的殷先生從 2009 年開始擔任志工，他曾經同時在福山植物園、羅東林區管理處和杉林溪擔任解說志工，但他最喜歡的是東勢林區管理處的志工工作，每個月專程從臺北到臺中服勤，他說：

東勢林區管理處的志工考訓是最嚴格的，每一期的志工招募都相隔好幾年，我是 104 年（2015 年）進來的第六期，去年（2017 年）才招募新的第七期，因為這裡有天然的優勢。合歡山是高海拔（遊客服務中心約 3,100 公尺）、大雪山是中海拔（遊客服務中心約 2,200 公尺）、八仙山是低海拔（遊客服務中心約 900 公尺）。全省八個林區管理處只有東勢林區管理處得天獨厚，涵蓋低中高三個不同的海拔，不同的海拔就有不同的生態和物種，我們當然喜歡在這裡服勤。

——東勢林區管理處解說志工殷先生，2018 年 7 月 16 日

東勢林區管理處所轄的四座國家森林遊樂區，因為同時位於低、中、高海拔，擁有得天獨厚的優勢，成為全臺民眾爭相造訪的所在。的確，來到臺中市想要親近高山，遠離塵囂，只要沿著大甲溪一路往上游，越往深山裡前進，眼前所見，盡是高聳險峻的森林景觀。現在走入八仙山國家森林遊樂區，您當然看不到檜木聳立的景象，因為整整七十年的伐木事業，不僅

位於豐原陽明路上的東勢林區管理處，原址為日治時期豐原貯木池所在。（管雅菁／攝）

造就日本各地許多鳥居神社，也帶來臺灣大筆的外匯與經濟發展。但林木蓊鬱的景象仍令人稱奇，我們何其有幸可以沐浴在這座森林浴場裡，遊客服務中心是第一個您必須造訪的地方。

認識八仙山遊客服務中心

2014 年 10 月，八仙山莊與餐飲部委外由台中商旅集團經營管理以後，遊客服務中心成為林務局管理的少數幾處室內空間之一。這裡是您認識八仙山的起點，走入一樓大廳，映入眼簾的是八仙山生態特色、地理位置，以及谷關七雄的介紹。二樓則是「八仙山林業史話」展場，除了生態昆蟲的介紹，這個展場包括了八仙山林業發展史、伐木作業流程以及伐木工具及各類木材的實體展示，解說志工說許多老林業人往往在這裡流連忘返，甚至老淚縱橫。

八仙山國家森林遊樂區遊客服務中心一樓展示大廳。（蔡金鼎／攝）

「檢尺」是木材運輸過程、生產驗收、買賣交易時，對木材的產量、品質進行的一種檢量作業程序。通常由檢尺員根據木材標準和檢尺規定辦理，主要檢量原條或原木的徑級、長度，評等，並計算材積、價格等，這幾乎是過去林業人的基本功，由國家專門考試辦理核定「檢尺員」資格。

1985 年底，《森林法》公布施行，其中第 17 條明訂：「森林區域內，得視環境條件，設置森林遊樂區」。從此各大林場伐木作業陸續停止，開始以森林遊樂區的型態對外開放。這看似簡單的政策變化，卻影響許多原本以「伐木」為業的老員工，他們開始進行角色的轉換。今年七十四歲的林信雄回憶：

（民國）57 年（1968 年），我經過招考進入「大雪山林業公司」擔任技工，從木材乾燥、防腐技術與檢尺員開始做起，再到辦公室負責人事、統計和木材標售工作。78 年（1989 年）改組（係指：大甲林區管理處與大雪山示範林區管理處合併成

伐木流程展示看板：
檢尺（上排左）；伐木（上排中）；
集材（上排右）；運材（下排左）；
貯木（下排右）（蔡金鼎／攝）

立「東勢林區管理處」，時隸屬於臺灣省政府農林廳林務局。
1999年7月精省後，再改隸行政院農業委員會林務局管轄。），
整個木材加工廠、製材廠、製品倉庫、車輛……通通分配到不
同的單位。80年（1991年）我被分配到八仙山林場，負責在
裡冷檢尺站擔任木頭管制檢查的工作，工作沒多久，就被分派
到八仙山遊樂區服務臺擔任櫃臺的工作。那時候是八仙山遊樂

區最興盛的時候，工作項目很多，從住宿登記、福利社、遊客統計……通通都要自己來。

——林信雄，2018 年 7 月 10 日

　　林信雄是東勢客家人，1958 年臺中高農畢業後，因為長子的身分選擇留在家鄉尋找工作，當年 11 月由省政府以合資方式募股投資成立的「大雪山林業公司」成立，恰好提供他一個可以學以致用的工作機會，後來的「八仙山遊客服務中心櫃臺服務員」，肯定是他當初完全沒有想過的角色，他卻整整做了十幾個年頭，一直到 2004 年才退休。面臨角色轉換的還有他的老同事張賜福，他從伐木作業第一線的負責人，一下子變成了林木保育的急先鋒，他說：

　　78 年（1989 年）改組後，林務局從 13 個林區管理處縮編為 8 個，大雪山與大甲林區合併為東勢林區管理處，所有的伐木作業都結束了。當時森林保育的觀念越來越強烈，我從伐木股轉任到育樂課保育股。新成立的單位研習很多，林務局聘請很多專業的講師幫我們上課，從局本部、林試所到臺灣大學、中興大學的教授都有，動物、植物、生態保育……等授課內容包羅萬象，幾乎是全省走透透，四處去參加研習。身分轉換對我而言不是問題，身為一位林務局的員工，上級派什麼任務給我們，我們就是要把任務完成，新的業務深入以後就慢慢了解了。

——張賜福，2018 年 7 月 10 日

張賜福，1950 年出生於南投竹山。1975 年嘉義農專森林科畢業後，經過考試分發到大雪山鞍馬山工作站，當時大雪山還是直營伐木的年代，他負責伐木作業的第一線工作，與當時因八仙山、羅東林場伐木作業停止，而被轉任到大雪山林業公司的最後一代伐木員建立了深厚的友誼。（1999 年）九二一地震後，他帶著同樣在東勢林區管理處任職的老婆一起到處拜訪這些退休的伐木工人。2001 年，由林務局冠名出版《八仙山林場史話》一書，未幾年即再版發行。我們在松鶴部落拜訪一位從小在八仙山林場長大的張森妹奶奶，年近八旬的她拿著這本書指著自己少女時代的照片，翻著每一張林場的老照片如數家珍，不禁令人溼了眼眶。這本書是奶奶自己託兒子買回來的，我們很幸運，在八仙山遊客服務中心的二樓，《八仙山林場史話》的精華都在這裡展出了。

八仙山林業史話展覽館

遊客服務中心二樓的八仙山林業史話展覽館，訴說著八仙山林業開發過程的點點滴滴。「八仙山林場大事記年表」紀錄了這座林場一個世紀的變遷過程，原本預期的自然生態景觀之旅，彷彿一下子掉入了時光隧道一般，這座日本時代遺留的林場，絕對有資格作為您認識臺灣林業史的入門。

當然，除了林業發展的歷史，這裡也展出八仙山豐富而多樣的生態樣貌。遊樂區位處中海拔，夏季雨量豐沛，植物生長快速，林下之灌木叢濃密；冬季雖較乾旱，但耐旱之松林遍

人文八仙山

日治時期，八仙山林場與阿里山林場、太平山林場合稱為臺灣三大林場。早先是以「木馬道」與大甲溪流便利採伐及集運木材，後改用纜車送至佳保臺（今遊客服務中心所在），再以森林火車載運至石岡土牛。全盛時期，設有辦公處、招待所、學校和相關附屬設備，熱鬧非凡；然而，現在此處只剩零散的木頭與廢棄的水池、土灶，僅留下鐵路或運轉作業道之遺跡猶可尋覓。

（資料引自八仙山國家森林遊樂區解說摺頁。）

生態八仙山

八仙山國家森林遊樂區
位處中海拔，雨量充沛，
加上十文溪與佳保溪兩
岸的陡峭岩壁，保存了
自然演替的暖溫帶針、
闊葉混合林，呈現高度
歧異與多層次植被，提
供了野生動物多樣化的
生活環境與豐富的食物
來源。不僅可以看到山
豬、山羌等哺乳動物，
還有白頷樹蛙、面天樹
蛙等兩棲類動物。蝶類
生態則有紅肩粉蝶、端
紅蝶、青帶鳳蝶、大紅
紋蝶等穿梭其間。另外，
臺灣藍鵲、朱鸝、小彎
嘴畫眉等多種留鳥與其
他冬候鳥會隨著季節更
替出現在此處的森林
舞臺上，讓八仙山猶如
野生動物天堂般繽紛熱
鬧。
（資料引自八仙山國家
森林遊樂區解說摺頁。）

布全區，其下之草本植物與灌木類植物複雜濃密，再加上十文
溪與佳保溪兩岸的陡峭岩壁，保存了自然演替的暖溫帶闊葉樹
林，植物林相多元而龐雜，造成植被多層次的現象，提供鳥類
豐富的棲息場所與食物來源。另外，本區有多種蝶類蜜源植物，
如布骨消、山櫻花等，蝴蝶資源亦相當豐富，紀錄有78種之多，
尤以紅紋鳳蝶、大紅紋鳳蝶、黑鳳蝶等族群最為可觀。相較於
大雪山林道寬闊、伐木再造林地尚未成林，八仙山由於林道狹
窄、森林茂密，且位於鳥類遊憩區處，山黃麻開展之樹冠，成
為野鳥群聚之所，累計當地野鳥即有90種以上。曾任林務局
森林育樂組組長的楊秋霖，在他撰寫出版的《臺灣的國家森林
遊樂區》一書中以「全臺首屈一指」來形容八仙山的鳥況：

小巧可愛、珍貴稀有的赤腹山雀，全臺以八仙山最易看到；

一樓展場的自然生態展示區,呈現八仙山豐富而多樣的生態樣貌。(蔡金鼎／攝)

住宅區附近亦常見小卷尾低飛,有幸者尚可見到美麗的灰喉山椒鳥成群出現;幽美的溪谷處,則可見到臺灣藍鵲從眼前列隊飛過的情景;溪谷之巨岩上,鉛色水鶇、紫嘯鶇、河烏、翠鳥、小剪尾 白鶺鴒、灰鶺鴒時常留下美麗的倩影;鳴聲雄渾之大彎嘴畫眉、激越的竹雞,婉轉之冠羽畫眉、圓潤輕柔之白耳畫眉組成的音籟,夾雜在八仙山之溪瀑、松風中,加上溪谷之回響,使得八仙山之聲籟全臺首屈一指,不同凡俗。

——摘自楊秋霖《臺灣的國家森林遊樂區》

　　除了人文與生態,這裡也是您增加木材知識的好處所,現場展示了低中高海拔不同的樹種木料,蒐集了臺灣最珍貴的紅檜、櫸木、扁柏、肖楠,到常見的香杉、紅豆杉與樟木等,身處森林王國的臺灣,我們是不是更應該認識這些經常出現的木

二樓原木及伐木工具展示區，可供民眾增加木材相關知識。（蔡金鼎／攝）

料呢？如果您想要更加了解木頭分級的「常識」，老林業人林信雄的這一段訪談，也許可以提供您參考：

　　臺灣的森林依海拔高度，可以分為針葉樹區與闊葉樹區，高海拔的針葉樹區的一級品是檜木，包括紅檜、扁柏、香杉都是，至於肖楠是其中最差的一級，現在平地都可以種植。檜木、扁柏生長在海拔 1,800～2,500 公尺之間；香杉也屬於檜木的一種，生長在 1,500 公尺左右的地方，品質當然沒有紅檜、扁柏那麼好。低海拔的闊葉樹的一級木是樟樹（牛樟、香樟）、櫸木（大葉、小葉）……。至於中間的中海拔就以鐵杉（TOGA）

為主，所有房子的門和窗戶都是用鐵杉來做，很適合做建材使用。如果再細分，所有木材只取前面第一、二節的部分，我們稱為樹頭材，因為樹木生長的地方是由下往上長的，下面這兩節是沒有因為分枝而形成的結疤，我們就稱為「一級木」，紅檜、扁柏的一級木都是銷往日本，臺灣市面上很少流通。

——林信雄，2018 年 7 月 10 日

志工解說服務的軟實力

回到遊客服務中心一樓服務臺旁，這裡有一個解說志工輪值櫃臺，這裡才是東勢林區管理處管轄四大國家森林遊樂區的祕密武器。所有在這裡的服務志工都是一時之選，經過重重關卡才得以進來。八仙山國家森林遊樂區解說志工於 1996 年正式對外招募，目前已培訓七期解說志工，東勢林業文化園區成立以後，管理處也另外招募解說志工組。現年六十七歲，畢業於臺大森林系的羅鳳姬，擔任遊樂區志工已經十九年，目前仍在第一線服務，對東勢林區管理處的志工制度讚譽有加。她是第三期解說志工甄試進來，當時她還有一個響叮噹的頭銜——日月潭國家風景區管理處祕書，頂著薦任職等的公務員身分報考志工，「其實當初我是來臥底的」她笑著說：

我當時在日月潭國家風景區管理處擔任祕書，參加志工有一半是為自己，一半是為了公部門。日月潭國家風景區籌備處成立以後，我認為我們必須要有一套完整的志工制度，所以

就到這裡「臥底」，學習如何把林務局的這一套制度帶到日月潭國家風景區管理處去執行，當然一方面也為自己退休以後鋪路。我的想法是日月潭國家風景區管理處成立以後，硬體建設、發包制度，公部門的傳承與經驗都可以應付；但軟實力的部分，一定要靠管理、志願服務的制度來建立，我一直認為林務局的這一套制度是相當不錯的。

——羅鳳姬，2018 年 7 月 27 日

　　羅大姊說話很客氣，其實整套志工制度的建立，除了幾位公部門長官的支持，她的全心投入也功不可沒。她提到志工制度由體制外的「志工聯誼會」，轉而成體制內的「志工大隊」的過程：

　　九二一地震以前，東勢林區管理處已經培訓過兩期。我是第三期解說志工甄試，經過面試考量資歷、興趣，經過篩選以後再實習，實習結束以後還要筆試，筆試完再口試，最早還要求五十歲以前才可以參加。當時的承辦人是現在鞍馬山工作站的吳貞純主任，她當時在育樂課對於志工培訓業務非常用心，後來她又擔任育樂課課長，可以說我們的志工制度是她一手創辦起來的。後來陳奕煌處長也非常重視志工制度，他當處長將近十年，對志工非常關心。我當時擔任志工聯誼會會長，他對代表志工的制服非常講究，那時候管理處有一間志工坊（辦公室），大家輪流在這裡駐點值班，陳處長到處裡，一定會先到

志工辦公室跟大家打招呼，表達他的關心。志工不是要求物質上的回報，而是精神上的鼓勵，只要受到尊重，大家就會加倍地回饋。

——羅鳳姬，2018 年 7 月 27 日

　　現在要參加遊樂區志工越來越困難了，一個梯次只有 50 個名額，有些人還要兼備外語能力。志工是一種服務的志業，也是一種學習，羅大姊最後告訴我們：「有些遊客比我們懂得更多，其實在帶遊客解說的過程中，我們一邊也跟著學習。」

自然教育中心

　　自然教育中心是八仙山國家森林遊樂區的另一項特色，林務局為推廣生態教育，於十年前（2008 年）設立八仙山自然教育中心，成為中部推廣森林環境教育的重要基地。期待透過各式各樣的活動方案，讓老師、學生與民眾能在八仙山快樂學習、與自然共舞，並能從「探索」森林、「關懷」環境的過程中，承諾以「行動」來愛護地球。羅鳳姬回憶當初設立的過程：

　　環境教育中心是林務局結合教育部、環保署共同推動，第一期是由臺中教育大學吳忠宏老師進駐，他是導覽解說方面的博士，由他帶著環境教育的老師和志工一起來討論教案、設計教學活動。後來師範大學環境教育所、中興大學也都有參與，環境教育老師的養成則是由教育部召集培訓，我們志工與他們

相互搭配。上課時間由學校提出申請，教育部會補助遊覽車費用，寒暑假是以家族型態來參與。環境教育中心到現在已經是第十年，過去是由林區管理處聘請環境教育老師，現在則是以外包形式辦理，還好承接單位也是我們第一期的環境教育老師，她自己成立一家公司來承接，就怕接手的人沒有辦法延續精神。

——羅鳳姬，2018 年 7 月 27 日

隨著新自由主義的興起，委外經營成為政府開源節流的重要政策，八仙山國家森林遊樂區也不例外。配合行政院政策，林務局將八仙山莊與餐飲部門委託台中商旅集團經營，看在老林業人的眼裡，彷彿一塊心頭肉被割走了一般。

八仙山莊到 Basian Villas

看好雪谷線纜車啟動後的旅遊商機，旗下擁有台中商旅、台中之星等旅館關係企業的台中商旅集團，取得林務局所屬、位於谷關的八仙山森林遊樂區 BOT 案，最近斥資 5,000 萬元大改裝，昨（28）日以「Basian Villas 八仙山莊」全新開幕，成為該遊樂區首家旅宿業。

——《工商時報》，2014 年 10 月 29 日

雪谷線纜車後來不見蹤影，2015 年，林務局以地質安全、生態保育為由，宣布纜車規劃不符合《森林法》規定，「不同意作為纜車用地」，但 Basian Villas 確實一位難求，我們為了

住進豪華的森林木屋，打了好幾通電話終於訂到位置，同時被要求必須在下午五點以前入園，櫃臺小姐告訴我們一房難求的主要原因：

同時有 7 個網路平臺在賣我們（指 Basian Villas）的房間，住宿率算很高，只要超過一定的數量，我們網路訂房的部分就要先關閉了，但還是可以電話方式人工訂房的。目前我們只經營住宿和餐廳部分，其它園區的建設還是林務局負責。下午五點以後會管制進出，主要基於安全考量，林務局只有值班室有人留守，房客進出是沒有問題的。

台中商旅對住宿旅客的服務專業而親切，只是我們仍然發現許多單位間磨合的問題，首先是入園保險單的部分必須由遊客自行從山莊帶到遊客服務中心，但由於是公家單位，遊客服務中心已經打烊，櫃臺要求我們可以明天再繳交即可。其次，由於園區沒有商店與福利社，我們晚上開車前往谷關超商買了一些補給品，出園是自動感應柵欄並沒有遇到阻礙，只是回程的時候在收費亭得自行下車「拜託」值班警衛打開柵欄，警衛人員很客氣，反倒是我們叨擾人家感到抱歉。當然，服務品質的提升，也代表價格跟著上漲，櫃臺小姐告訴我們，最貴檜木四人房平日價是 9,240 元⋯⋯。至於解說志工與商旅的關係呢？羅大姊說：

台中商旅和解說志工幾乎是平行線，他們是營利單位，我們是提供公共服務，跟我們完全沒有交集。四年前商旅接手以後，有些遊客的反應是住宿品質變好了，但是費用也變高了。其實有些遊客上山只是享受生態環境，對住宿並不要求，對於價格的反應就是太貴了。

最後，我們是該到戶外走走了，這裡才是精靈真正活動的場所，也是八仙山國家森林遊樂區的精華所在。

森林遊樂區步道群

八仙山國家森林遊樂區自然步道全長約 5.7 公里，海拔高度 1,100 公尺，路況以石階、山徑、木棧道為主，沿途有孟宗竹林、溪流景觀，吸引許多賞鳥人士造訪。一年四季皆可以來此散步吸取芬多精，在 1 ～ 2 月還有山櫻花季、3 ～ 4 月可以在夜間觀賞螢火蟲、6 ～ 9 月則能賞蝶。至於冬天造訪，八仙山的天然林木也不會令我們失望，其中全區又以針葉林面積最大。當然看了展示館的「八仙山林業史話」，一定得見識實際的林業遺址。佳保臺過去是因應八仙山林場發展而成的重要聚落，現今在園區內，仍存有八仙國小、運材鐵道及日本神社遺跡，等著您仔細發掘。

這裡還有一座戰後重修的「臺灣八景紀念碑」，昭和 2 年（1927 年），八仙山一度入選臺灣八景，當時好不風光，碑文上記載著：

往 八仙山登山口

佳保溪

靜海寺

生態教室

合流

十文溪

觀景臺　聽泉亭

蜜月屋

林間教室　八景紀念碑

二層木屋

（步道暫時封閉）

清風亭

望月亭

神社遺址

小木屋

竹林　觀景臺

觀溪平臺

生態池

八仙山莊

員工值勤室

泡腳池

油桐花林

遊客服務中心

森活亭

飄香亭

汙水廠

櫻花林

十文溪

收費站　篤銘橋

臺8線

往 谷關
（中橫公路）

大甲溪

往 東勢

八仙山步道系統圖。（蔡杏元繪製）

八仙山神社遺跡。（管雅菁／攝）

　　八仙山跨越臺中與南投縣境，在中央山脈自成一系。八仙山森林遊樂區位於八仙山的山麓下，海拔約九百公尺，四週群山環繞，溪水清澈，溪中大小岩石遍布，處處激流，景觀獨具一格，日據時代昭和二年（民國十六年）八月廿五日經「臺灣日日新聞社」以票選方式選定為臺灣八景之一，當時之臺灣八景為淡水、太魯閣、旭崗、阿里山、日月潭、壽山、八仙山、鵝鑾鼻。

　　如果園區內不能滿足您對山林探險的渴望，谷關七雄的老大——八仙山正等著您來挑戰，它的登山口在靜海寺。其實早在大正 15 年（1926 年）2 月就有一群臺中市商界人士組成的「實業團登山隊」做過同樣的探險。想像九十幾年前，有十幾

戰後重修的臺灣八景入選紀念碑，載有八仙山入選臺灣八景的紀錄。（管雅菁／攝）

個事業有成的生意人，一行人浩浩蕩蕩從臺中火車站出發，搭乘火車到豐原，再由豐原轉乘林場專為運輸木材而開設之運材列車，沿途經過和盛（土牛）、麻竹坑、久良栖（松鶴部落）到佳保臺。然後再登上標高 2,401 公尺的八仙山主峰，一群人在山上合影留念。我們可以循著他們的足跡登上峰頂，不同的是這一趟旅程他們前後花了三天，我們現在只要一天就可以回到臺中市區溫暖的家。

回程的路上，我們望見臺 8 線交叉口處一群人拿著大水桶裝著山泉水，原來八仙山山泉也是一絕。這裡的乾淨的水源，成為山城地區最佳的飲用水，山下居民特地開車來此載運山泉水下山飲用，他們說用八仙山的泉水泡茶，能增強茶香喉韻，特別好喝。

八仙山國家森林遊樂區解說摺頁便如此介紹道：「八仙山國家森林遊樂區屬高山河谷，十文溪及佳保溪貫穿全區，彎曲的溪流和大小不一的溪石形成絕佳景致。以十文溪做中心點，東岸是礫石和沙組成的礫石層，我們可以透過礫石層的結構，觀察岩石從上游沖刷、搬運、磨蝕、堆積的痕跡；西岸是砂岩、頁岩交錯的岩石層，展示岩石堆積之美。在優美的林相保護下，十文溪與佳保溪水質清澈，為全臺著名的名泉之一，而且水量充沛終年不竭，頗適魚類生存，是存續臺灣淡水魚生態多樣性的好地點。」

第二章 Chapter 2

【理蕃篇】
Salamao：被趕出森林裡的 Atayal

Salamao 為日本時代居住於今梨山的臺中州泰雅族薩拉矛
社，早在「五年理蕃計畫」前，臺灣總督府即企圖進入薩拉矛
群領域，遭到當地泰雅族激烈抵抗，兩次征伐仍無法完全征服
薩拉矛群。大正 9 年（1920 年）1 月，流感疫情深入今梨山附
近薩拉矛群，引起當地原住民的恐慌與憤怒，波及八仙山林產
的拓殖事業，事平後，該地泰雅族人被迫遷居久良栖（今松鶴
部落）……。

折翼的松鶴

二〇〇〇年三月十二日，我們隨著「原住民權益促進會」
的張俊傑先生，進入臺中縣和平鄉松鶴部落，沿途裸露黃土的
山坡，以及路旁堆著的大小石塊，引人進入另一個世界。聽張

先生說：松鶴有六十多戶是無家可歸還住在帳篷裡的；面對雨季時土石流的隱憂，至今還無對策……。聽著、聽著不自覺的，彷彿那石塊滾落到心裡頭，沉重得讓人展不開笑顏。

　　　　　　　　——釋自曜〈飛向松鶴故鄉的希望〉，2013

　　臺中市和平區博愛里第 5 ～ 14 鄰，一個行政區位令人陌生的地方。它位於中部橫貫公路 29 公里處，海拔高度約 700 公尺，四周為雪山山脈、中央山脈、八仙山所環繞。大甲溪在西側由北向南穿流，聚落南北分別有松鶴一溪、松鶴二溪西流注入大甲溪，主要聚落集中在大甲溪左岸，這一處美麗的河階地現在叫「松鶴部落」，一個因風災而映入臺灣人眼簾的地名。1999 年「九二一地震」，聚落雖然未造成嚴重傷亡事件，但房屋毀損約占部落總數的二分之一，農業損失慘重，破碎的地質結構原本就很鬆散，再加上坡面崩塌地增加，松鶴一溪、松鶴

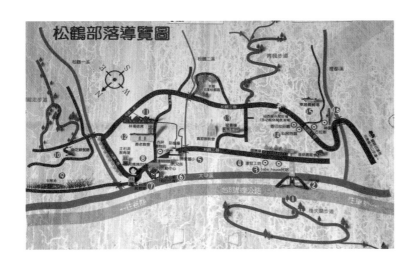

松鶴部落導覽圖。
（蔡金鼎／攝）

松鶴部落。(管雅菁／攝)

二溪被列為土石流潛勢溪流，成為一處不適合居住的家園。就在居民自主和外界協助重建家園之際，2004年的七二水災、八二四風災再度造成社區重創，兩條松鶴溪發生土石流事件，造成1人死亡、1人受傷，30棟房屋遭土石掩埋，所幸居民已提前疏散至博愛國小避難處所，方使人員傷亡減到最低程度，對外交通因溪流暴漲造成路基流失崩塌而中斷，同時民生用水、電信與用電也一併中斷……。

酋長的故事

　　松鶴部落在《MIT 臺灣誌》「谷關七雄」來採訪以後，遊客有越來越多的趨勢，我們的露營區和民宿也慢慢地起來了⋯⋯。

——野將・亞普（酋長），2018 年 7 月 14 日

　　這個以「松鶴長青」為名的聚落似乎命運多舛，一度有遷村之議，在經過二十年的社區營造與居民同心協力之下，吸引了很多遊客和登山客前來部落參訪。野將・亞普是現任松鶴社區發展協會理事長，漢名羅權星，綽號「酋長」，他在去年（2017 年）協助《MIT 臺灣誌》拍攝「谷關七雄」，在媒體報導加持下，近幾年社區觀光讓當地居民燃起新的希望。

　　社區發展協會籌設媽媽才藝班、長壽俱樂部與松樹推廣班，這三個班分別為兼顧文化、歷史與產業面向。媽媽才藝班一方面可以傳承泰雅族婦女手工編織的技能，還可以讓婦女安心陪著孩子成長；長壽俱樂部除了老人照護功能，更重要的是可以傳承部落耆老的智慧；松樹推廣班則與「松」、「鶴」名稱由來息息相關。這裡原稱「德芙蘭」，「德芙蘭」的由來有幾種不同的說法：第一個是在日治時期，相傳天皇指示將伐木的部分收益回饋分享給原住民，原住民在此地敬拜日本天皇謝恩而得名；另一個則是指此地水源豐沛，原住民們會來此地舀水，而舀水的泰雅族語，音似「德芙蘭」而得名，引申

谷關七雄

谷關七雄，係指臺灣中部谷關風景區一帶的七座中級山，包含八仙山（2,366 公尺）、馬崙山（2,305 公尺）、屋我尾山（1,796 公尺）、波津加山（1,772 公尺）、東卯山（1,690 公尺）、白毛山（1,522 公尺）和唐麻丹山（1,305 公尺）。林務局東勢林區管理處曾於 2012 年 6 月 1 日舉辦「谷關七雄完登」活動，民眾只要於 2013 年 8 月 31 日前完成谷關七雄登頂，即可獲得東勢林區管理處所頒發的證書及徽章。

《永恆的回憶錄》未完書稿

2006 年，當時八十歲的林誠牧師，根據一〇三歲辭世的母親口述回憶，寫下一本《永恆的回憶錄》未完書稿。書中記錄母親對泰雅祖先的傳說與智慧，詳細記載德芙蘭部落周邊的歷史與聚落發展，由一位泰雅女性的觀點思索日人文明統治與族人捍衛土地與傳統間的衝突與矛盾，頗具史料參考價值，本書內文多有引用。林誠牧師出生於德芙蘭部落，泰雅名字是 Kawas·Wilang（卡瓦士·威浪），日本名字為 Nakayama·Makuto（內山·誠），中文名字為林誠，這是他活在世上時所擁有的三個名字。誠如他在書中所說：「有了歷史，這個民族的人才能生存、生活下來。」因為這篇未完書稿的留存，讓德芙蘭的歷史有了第一手的原民觀點。

有水源豐沛土地肥沃、適合人居住的意思。還有一個傳說跟 Lbak·Paran 頭目有關，根據《永恆的回憶錄》文稿中記載：

　　德芙蘭的名稱其來有典故，是有原因的。日本人發現德芙蘭部落有一位長者—— Lbak·Paran，他心地善良又勇敢，體格健壯，是位受人敬重、充滿智慧、愛心的人。日本政府就封他為頭目，賜他權杖、責任。日本警察也賜他警部的大刀，希望他能好好幫助日本人來治理泰雅部落，使泰雅人聽從他，不再為非作歹。不僅對他如此地厚愛，日本人也教他禮儀。如果有人探望他，必須先向他叩頭敬禮，否則不准進入屋內。因此，不僅是本地部落的泰雅人，或是外地部落的泰雅人，他們來到古拉斯部落，必先到那位頭目—— Lbak·Paran 之處。到那裡探望這位頭目時，你必須先叩頭敬禮，說聲：「Lbak 早安」，這位頭目聽了就會高興的迎接，若不如此，他會對他們說：「回去，回去，你不知道禮儀。」從此以後，各個部落的泰雅人就說：「我們到德芙蘭部落，那裡有我們要叩頭的人。」這個典故就是為什麼稱為德芙蘭部落的原因，因為這個部落有一位長者，日本賜他權力且日本人也敬重他。

　　　　　　　　　　　　　　——摘自《永恆的回憶錄》

　　日本統治時期，把這個聚落稱為「古拉斯」，後人音譯為「久良栖」，相傳在日本統治以前，有一位名叫古拉斯（Kuras）的族人，他帶領一個家族來到此建立部落。日本到此之後，知曉這

個典故而將此部落命名為古拉斯（Kuras），以示紀念他創社之功，這是一個陽光普照、景色優美的好地方。戰後，部落內有人種植漢人象徵長壽的「松樹」，又因大甲溪常見很多白鷺鷥在覓食，遠望有如白鶴在飛舞，故更名為「松鶴」。這個漢化嚴重的名稱正象徵這裡不再是泰雅族人傳統的部落，從日本時代開始，陸續有其他族群遷入，聚落居民結構為泰雅族原住民約占五分之二人口；其他族群（客家、閩南、外省籍）約占五分之三人口。目前設籍人口數約 800 人，但實際居住於社區人口約僅占二分之一，其中又有一半是六十歲以上的老年人口。

「酋長」羅權星，出生於 1962 年，高中畢業以後原本就讀警官學校，因故輟學回到家鄉種植高接梨，由於生產水梨品質良好，於 1993 年獲選為全國十大農村青年。他是戰後出生的新世代，返鄉的原因是高接梨產業讓部落人民看到希望。

本身是泰雅族人的酋長，娶了一位來自臺北的客家人當老婆，他從小生活的環境就有很多「外省仔」，其中一位老榮民鍾伯伯教了他一手擀麵粉做饅頭的好手藝，他加入有原住民風味的紅藜而成為一絕，成了遊客到松鶴部落必帶的伴手禮。不只如此，他除了傳承北方饅頭麵食文化，也傳承泰雅傳統文化與智慧。風災後他成立泰雅文化生活營，帶領遊客在這裡鋸木材、劈木材、拔野菜與射箭，午餐享用的是在地的樹豆、馬告、刺蔥等原生種食物，遊客可以來此體驗原住民登山、狩獵的技巧，從聚落的日常參與泰雅族人的生活型態，以及他們與山林互動的方式。松鶴部落經歷多次天災，上天看似關閉回家

高接梨

1890 年代，臺灣先民首先自中國華南地區引進梨子在新竹縣橫山地區栽種，隨後擴展至臺灣中低海拔栽培，此品系稱為橫山梨。1958 年，行政院國軍退除役官兵就業輔導委員會自日本引進高需冷性日本梨，在梨山高海拔（1,500 公尺以上）栽種，口感清脆多汁，深受消費者喜愛。由於兩者採收期多在 8～9 月間，橫山梨價格深受影響，故發展出在秋天以人工落葉方式促進開花技術，使橫山梨產期提早在 4～5 月收穫，俗稱為「倒頭梨」，自此穩定橫山梨消費市場。1976 年，東勢鎮張榕生先生研發高接梨生產技術，早期以新世紀品種為主，目前則以豐水、新興為大宗。他最早嘗試取梨山地區新世紀梨帶有花芽之花穗，以切接法嫁接在橫山梨之徒長枝上，觀察是否能生產新世紀梨果。經數年之試驗，終於成功建立栽培模式，可穩定以嫁接方法在低海拔地區藉由橫山梨來生產高需冷性之高品質梨，利用此種嫁接方法生產之梨就稱為「高接梨」，至此成為臺中市東勢區、和平區主要高經濟農作，吸引許多農民投入生產行列。

松鶴部落內林場巷裡的照明。（管雅菁／攝）

的路，卻又為部落開展另一扇深度旅遊之窗，走進部落，映入眼簾的是一塊導覽圖看板，裡頭標示了民宿區、松鶴特產——五葉松、鱘龍魚、鱒魚養殖場及大自然芬多精步道……的相關位置，其中有一處八仙山林場遺產——檜木板屋似乎又訴說著另一段故事。

石頭的泰雅

　　太古時代，在叫做 sbkan 的地方有一個大石頭，有一天石頭分成兩半，從中生出一男一女，此即人類的祖史。這兩人結為夫妻，逐漸繁衍子孫。留在此地者，即為今日的 Tayal 族。

　　　　　　　　　　——《臺灣原住民史‧泰雅族史篇》

　　巨石到底在哪裡呢？有很多種不同的說法，居住在松鶴部落的族人說它在賓士博干（Pinsbkan），就是 Mstbawn 部落。泰雅族的遷移並不是放棄原來的祖居地，而是留一部分族人緊守祖先的發祥地，另一部分則出外尋求新的生活天地，容納新增的族人，另立新族群的門戶，將新獵場和新耕地用來滋養族人的生活，使整個泰雅族更富有活力朝氣，成為一個大族群。部落是以地域社會為基礎組成的最原始政治組織，也是最基本的自治單位。由於共同勞動、祭祀關係所形成的部落團體，彼此是有宗親的關係存在，亦即是擁有血源、血親關係人的結合部落。所以，泰雅族的原始社會組織，以泛血緣形式的族群為

基礎，以共同祭儀、共同狩獵及共負罪罰等社會功能，形成地緣兼血族關係的組織。

只是這樣的族群是怎麼居住到「久良栖」呢？一個日本政府希望這群「蕃人」（本書「蕃人」用詞係呈現當時歷史性用語，並不含任何貶抑蔑視意味）可以「永遠善良棲居」的所在。非不得已，從石頭崩裂出來的泰雅族人是不會輕易遷徙，離開森林的。

蕃人樂園

沒有德基水庫以前，大甲溪的水流很大，魚根本抓不完。我們有一種毒魚藤的捕魚技術，魚藤有神經性毒素，會讓魚暫時昏眩，部落全部一起動員抓魚、分魚，VAGAZ（背簍）根本就裝不下，魚藤藥性一過，魚就游走了，這些都是老人家傳下來的智慧，那時候森林和河流都是我們的樂園。

——野將 · 亞普（酋長），2018 年 7 月 14 日

漢人與泰雅族人南勢群的接觸可追溯到乾隆 37 年（1772 年）漳州人林潘磊，開始進入南勢群域的水底寮拓墾，後因常遭受附近原住民的攻擊而放棄。雖遭此挫折，仍有不少漢人前仆後繼來此開墾。到了光緒 12 年（1886 年）臺灣巡撫劉銘傳派兵討伐北勢群後，因水底寮、大茅埔和水長流一帶的原住民時常出沒殺害良民，遂派中路軍統領林朝棟前往諭令原住民不

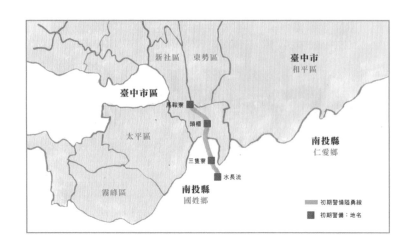

日治初期南勢蕃隘勇線配置圖。參考鄭安晞（2011）重繪。（蔡杏元繪製）

森丑之助

森丑之助（1877－1926），出生於日本京都五條室町，在家鄉學習商業經營，中途輟學四處漂泊，過著浪人的生活。日本治臺之初，參加軍旅以陸軍通譯之身分隨軍來臺，翌年在花蓮巧遇來臺研究蕃界的鳥居龍藏，從此一腳踏入臺灣蕃界研究的志業。他的業師鳥居龍藏讚譽他是「臺灣蕃界調查第一人」。臺灣古道踏查前輩楊南郡（1931－2016）將其與學界出身的伊能嘉矩（1867－1925）與鳥居龍藏（1870－1953）並稱為臺灣人類研究的「調查三傑」。

得殺人，遭到群起反抗。翌年 8 月棟字營派兵 2,500 人討伐阿冷社和白毛社，清兵出師不利，到了 10 月稍來社的頭目出面調停達成和解，此次清兵死傷近八百人，南勢社僅 3 人死亡。在達成和解後開出一條隘路由馬鞍寮、二拒、三隻寮、水長流到埔里社的南北線，此即今日臺 21 線的前身，在沿路設置統櫃，派兵 400 名隘丁在此駐守，並設立東勢角撫墾局馬鞍寮分局（後廢除），光緒 14 年（1888 年）再新設大茅埔、水長流、北港分局，至於今臺 21 線以東，沿大甲溪的和平鄉境內的南勢蕃各社，對於清政府而言，一直是一個陌生的領域，屬於生蕃的樂園與國度。

日本治臺之初，東京帝國大學四度派遣鳥居龍藏（1870年～ 1953 年）至臺灣從事人類學研究調查（1896 年～ 1900年）。有一次他徒步在花蓮進行田野調查，遇到一位豪爽的日本年輕人森丑之助。當時日本人謔稱新入國境的臺灣為「有鬼

魅一般可怕的生蕃居住的熱帶島國。」森丑之助卻對這些生蕃地充滿熱情與好奇，追隨鳥居龍藏的腳步踏入全臺蕃地，包括大甲溪沿岸陌生的泰雅族南勢群生蕃地。他這樣形容原住民族的社會：

　　蕃人社會沒有法律，但能夠維持秩序，也就是說是一個無為而治的社會，究其原因是因為他們心中有「誠」。我出入蕃地，發現與他們相處的方法，也就只有一個誠字。我憐憫他們物質匱乏的生活，但不得不尊敬他們純潔的心靈。如果我們同樣以誠和他們交往，他們會以溫暖的友愛回報。

──森丑之助

　　森丑之助致力於「蕃人樂園」的志業，他希望能「用錢買地」來保護原始部落免受帝國壓迫。他認為往年蕃地擾亂的原因，大都是伴隨樟腦製造與蕃地開墾所引起的民蕃糾紛。當初任由蕃地企業者放肆地開發蕃地，使官方與蕃人間的關係越趨複雜，這都是資本家的橫行霸道所引起的。只是這樣的聲音畢竟屬於少數，隨著國家武力的征討，蕃人樂園也逐漸消失。

生蕃退卻

　　蕃人即使無力抵抗征伐者的攻勢，預知己方即將覆亡，仍會奮戰至死。他們的想法是：如果不奮戰至死，不僅在同伴間

南勢群與北勢群

森丑之助依據地理分布將東勢一帶的泰雅族分類為生活於大安溪中上游及其支流雪山坑溪、眉必浩溪的北勢群八社及大甲溪中、上游的南勢群七社。北勢群八社計有蘆翁社、盡尾社、得木屋乃社、眉必浩社、馬那邦社、蘇魯社、老屋峨社、武榮社，也就是現今苗栗縣泰安鄉的象鼻村、士林村、梅園村及臺中市和平區的達觀里、自由里等地；南勢群分為稍來、阿冷與白毛三個社群，也就是現今的臺中市和平區各里。相對於乾隆年間北勢群接連歸化為清廷屬民，南勢群與清政府的關係就較不為人知，一直到日本治臺以後才揭開南勢群神祕的世界，他們也是受到八仙山林木開墾影響最大的族群。

明治 38 年（1905 年）日治五萬分之一蕃地地形圖。（資料來源：截取自臺灣百年歷史地圖）

沒面子，也對不起祖先。……即使侵略者強大，也不能把土地拱手讓人，因為不抵抗而喪失土地，是蕃人最大的恥辱。

——森丑之助

日本治臺之初，設東勢角撫墾署出張所（辦公室）於大茅埔，為了達到「綏撫」（綏靖與撫育）蕃人的目的，利用蕃人通事，在撫墾署以酒食不定期款待頭目、社長與蕃人，並提供糧食與日常生活物品為禮物，藉以了解蕃界情形與聯絡感情。主要工作包括：

1. 破除迷信惡習：教化蕃人破除迷信，改善馘首（砍頭）的惡習。

2. 教導婦人工藝：對婦女發給縫紉用品，教導學習裁縫。

3. 熟悉禮節規矩：利用蕃人尊敬酋長之天性，教其禮節規範。

4. 勞役與獎賞：命蕃丁從事適當之勞役，遵命者則獲贈

生活必需品以為獎賞。

5. 醫藥與衛生：對蕃人患病者施予治療，改善飲食及衛生習慣。

明治 31 年（1898 年）廢除「撫墾署」，大甲溪流域南勢蕃政歸臺中縣臺中辨務署第三課管轄，仍於東勢大茅埔設立課員出張所。成效不彰與撙節經費是廢除柔性「綏撫」政策的主因。緊接著由於平地「土匪」抗日活動接二連三，日本政府無暇管理山地事務，理蕃政策一度轉為消極的「取締」作業，只要蕃人不惹是生非即可。翌年（1899 年）6 月臺中縣新設「樟腦局」，在東勢角駐隘勇 105 名，由臺中縣知事木下周一直接指揮監督，主要為蕃地製腦事業的經營與管理預作準備。為了調查大甲溪流域蕃人生活狀況（蕃情）與山區資源，日軍多次

森丑之助（前立者）與
南勢社泰雅族人合照於
大甲溪畔。（資料來源：
東京大學合研究資料館
標本資料報告──鳥居
龍藏的世界網站）

隘線即隘勇線，這種制度始於清代，以武裝隘勇在沿山區域防備隔離原住民的措施，日治初期無法完全掌握清末隘勇線位置。直到明治36年（1903年），才在宜蘭、深坑、新竹、南投一帶共設四條隘勇線，並以隘勇線圍堵原住民，甚至在隘勇線附近架設高壓電流的鐵絲網、埋設地雷。明治39年（1906年）臺灣總督佐久間左馬太上任後，改採積極的「理蕃」政策，隔年在北部山地擴張十條隘勇線，及一條經中央山脈貫通南北約達70里的隘勇線，透過這些隘勇線包圍（禁錮）原住民在山區固定範圍。隨著臺地殖產興業政策的興起，靜態的隘勇線轉變為動態的「隘勇線推進隊」，以撫墾署配合殖產局探查山地林木資源，八仙山檜木林相的發現，即為臺中隘線推廣隊配合殖產局執行的任務之一。大正9年（1920年）廢止隘勇一職，由警手取代，納入警察制度中的最下階層。

派遣探險隊進入各山區，其中最重要的探險家就是森丑之助。

明治33年（1900年）5月，森丑之助的行腳來到東勢角大茅埔出張所，他沿著大甲溪一路上溯尋訪生蕃的足跡，這是本地第一次有「外人」足跡的記載。從此以後，日本隘勇隊步步進逼，打破清末以來，以今日臺21線為主的「蕃界」線，逐漸往大甲溪中上游挺進。明治36年（1903年）10月，南投廳與臺中廳分別展開「推進隘勇線」行動，分別於阿冷山、白毛山兩地附近新設隘勇線，沿途稜線設置數量不等隘寮，以就近監視蕃人動態，全部施工期約二十四天終告成，合計長達三餘里（約11.8公里）。隘線施工途中遭阿冷社的攻擊，雙方對峙約一週後阿冷社蕃屈服歸順，蕃人死傷沒有記錄，但日人有巡查、巡查補及隘勇共5人戰死，隘勇中有3人受傷。自此，南勢群阿冷社、白毛社一部分被納入隘線以內，受到官方力量的控制。

明治37年（1904年）6月10日，臺中東勢角支廳長井野邊幸如率領部眾，經白毛社隘勇監督所向海拔高度1,310公尺的阿冷社群最北端探險，以作為隘線推進的參考。明治38年（1905年）3月下旬，同屬於南勢群稍來社受到隘勇推進的威脅，接連不斷侵擾隘勇線附近隘勇並破壞隘寮等設施，反倒惹惱日軍。臺中廳以兩百二十多名警察組成討伐隊，向稍來社前進，殺死生蕃2人，焚毀多棟家屋，也埋下日後官方繼續往內山推進隘勇線的計畫。明治40年（1907年）初，日軍終於完成一條長達6里（約23.6公里）長之隘勇線，將白毛社全部，

以及稍來、阿冷兩社各一部分納入隘勇線內監控。

　　明治 43 年（1910 年），臺灣總督佐久間左馬太訂定「五年理蕃計畫」，編列 1,630 萬圓經費，以軍警聯合武力徹底討伐原住民，進一步迫使全臺的原住民歸順。大甲溪南勢群在幾次隘勇線的推進下，部分社群已被日軍收編於隘勇線內，對於線外原住民則要求其將全數銃器撤繳。

　　明治 44 年（1911 年）10 月初，就在日軍沒收槍枝之際，稍來社一部分的蕃人遠逃隘線之外，試圖聯絡北勢蕃危害警備人員。日軍接獲情報，決定繼續推進大甲溪上游的隘勇線，同樣由臺中廳與南投廳兵分兩隊。5 日，臺中隊由白冷監督所沿大甲溪左岸上溯，從區拉斯瓦旦（クラスワタン）部落附近，沿右稜線一路往上與南投廳所派依田部隊會合。這一次「大甲溪隘勇線」的推進，日軍死傷慘重，南投隊戰死 14 名、負傷

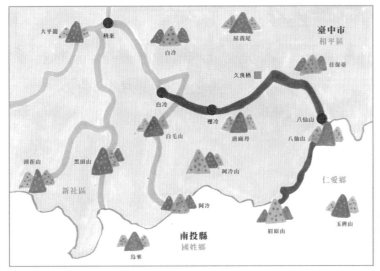

明治 44 年（1911 年）大甲溪隘勇線推進圖。（蔡杏元／繪）

▨▨▨ 已推進隘勇線
▨▨▨ 大甲溪隘勇線
● 隘勇線：監督所
▨ 隘勇線：地名

19 名，臺中隊僅報稱病歿 12 名，至於蕃人死傷當然沒有記載。

　　大甲溪隘勇線的推進等於控制了整個大甲溪流域南勢蕃的勢力範圍，它不僅截斷泰雅族南、北勢原住民群的聯絡孔道，同時得到一項重大的成就，就是八仙山的「發現」，根據《臺中廳理蕃史》的記載：

　　（10 月）6 日清晨六時，……兩支部隊同時從露營地出發，十點五十五分抵達「檜山」，檜山是部隊最初在 6,000 餘尺發現檜木群時的命名，從這裡開始進入針葉林帶，洪荒以來斧斤未入，檜樹叢林幾乎掩蔽全山，和阿里山神木應屬同類，盤根錯節、矗立直入天際，著實令人感到壯觀，檜山之名因之而起。十二點三十分部隊到達白姑大山支峰的稜線高地，其中一條白姑大山支峰海拔高度 7,998 尺，因此這裡也以它的海拔高度而有八仙山之名。第二部隊留在此地擔當守備，第一部隊為了能與南投廳前進隊取得連絡，在稜線高地向南前進……。

　　八仙山林木事業正是「五年理蕃計畫」大甲溪隘線推進的成果，它是臺中隘線推廣隊沿大甲溪前進時，在 7,900 尺的八仙山隘勇監督所附近發現的大片檜木林場，其面積廣達數千甲，殖產局派出技術員前往勘查，預計開墾範圍達 300 甲，利用大甲溪流將木材運出。

　　二十世紀初期，日本政府花了十年的時間終於掌握與控制南勢蕃社，原本隘勇線以外的「生蕃地」成為國家控制的「蕃

南投隊との連絡

盤根數畝に蟠り、蠧として天を衝き、實に一大壯觀を爲せり、檜山の名の因て起る所以なりとす、午後零時三十分白姑大山の支峰稜線高地(標高七、九九八尺)に達す、此の高地亦た其の標高に因みて之を八仙山と命ず、茲に第二部隊をして此の高地の守備に當らしめ、第一部隊は南投廳前進隊と連絡を取らんが爲め、高地より南方稜線に沿うて前進す、然れども此の高地より南投隊の最北端たる眉原高地とは其の距離遠く、加ふるに進路亦險峻を極め、隊員の苦辛言ふべからざりしも、同午後七時辛うじて南投隊と連絡するを得たり、此の前進延長は總て四里十四丁

八仙山原本名為檜山，因海拔高度為 7,998 尺，故名八仙山。摘自《臺中廳理蕃史》。

地行政區」，經過測繪地圖、登錄地籍、土地開墾（開發）、編戶納稅四個階段，成為「普通行政區」，原住民被限制在村子裡過著集居的生活，而森林資源成為國家財政的重要來源之一。大正 3 年（1914 年），臺中廳為慶祝「理蕃功成」，委託臺灣日日新報社出版《臺中廳理蕃史》一書，根據書中記載，南勢群有稍來社、白毛社、阿冷社三個主要大社，其它均為其支社，昔時人口統計如下表：

	戶數	男	女	合計
稍來社	38	94	91	185
白毛社	29	76	81	157
阿冷社	82	155	174	329
合計	149	325	346	671

——引自《臺中廳理蕃史》

　　明治45年（1912年）4月中旬，臺灣總督府批准南投廳推進白狗（hakku）隘勇線，建置一條「袋形隘勇線」，以躑躅岡（今南投縣仁愛鄉慈峰）為起點至Salamao鞍部，一舉切斷泰雅族各社群之間的聯絡。隘勇線的設置，表面上阻擋了泰雅族各社群間的聯繫，實際上卻讓原住民對「國家」暴力統治更增嫌惡。尤其隨著隘勇線推進而來的各種林木資源的開發，更讓泰雅族人心痛，表面上臣服的族人，實際上卻伺機而動。森丑之助萬沒有想到他「生蕃行腳」成為佐久間左馬太總督「討蕃行動」的幫凶，他對「五年理蕃計畫」提出嚴正的控訴：「這項行動背後，事實上是受到（日本）內地財閥壓力下而策動的武裝鎮壓計畫。」泰雅族人守護好幾個世代的傳統領域，從此落入國家與資本家的手中，由於隘勇線的推進，「發現」的八仙山森林資源，成為日後林場設置的基礎。

樹林在哭泣

　　我們的祖先為什麼會對八仙山林場那麼在意？因為他們認為樹倒下去的聲音就是哭泣的聲音，幾千年的樹木一棵棵倒了，他們非常的捨不得。我們有森林就代表有豐富的生態，那就是我們的冰箱，裡頭的生物根本打不完……。

──野將・亞普（酋長），2018 年 7 月 14 日

　　大正 6 年（1917 年）南勢蕃情漸漸綏撫平穩，居住在稍來、白毛、久良栖等地方的蕃人接受「指導啟發」，以久良栖為模範蕃村，集中管理蕃人，接著撤廢 7 里（約 27.5 公里）隘勇線，在鄰近部落設置 9 個駐在所。整個大甲溪流域配置 18 名巡查、3 名巡查補，53 名隘勇管理整個區域。在幾次的隘勇線推進以後，石頭一般的泰雅族南勢群族人終於離開了森林。卻也由於國家力量的強行控制與征伐，引發日後 Salamao 地區泰雅族人的抵抗事件。

最後的反擊

　　日本統治時期，其實發生過很多類似賽德克・巴萊的事件，像青山事件（即 Salamao 事件）、人止關事件都殺了很多日本人，因為我們的祖先不習慣，怎麼突然來紅帽子的人？硬是把部落的人要集中在一起……

──野將・亞普（酋長），2018 年 7 月 14 日

サラマオ蕃人ノ食事

泰雅族 Salamao 家庭。（臺灣歷史博物館／典藏）

Salamao（或 Saramao、Slamao、Slamaw，中譯有「沙拉毛」、「薩拉茅」、「斯拉茂」……）是一個地名，名稱的起源說法不一，其中有一種說法是「被砍除」的意思，也就是這個區域的泰雅族人，被日本人利用「以蕃制蕃」的策略「砍除」，在蕃亂平定以後，集中居住在該地的泰雅族人從此以「サラマオ」（音 Salamao）為名，爾後為泰雅族人所沿用。它的位置在大甲溪上游，海拔高度 1,950 公尺左右。範圍西起青山，東止松茂，南、北兩側皆為高山峻嶺，在大甲溪岸斜地緩坡因河水沖積，成為肥沃的河階地形。大正 8 年（1919 年），日本人在這裡發現的臺灣特有種「陸封性鮭魚」命名為「サラマオ鱒」（Saramao masu）。戰後，行政院國軍退除役官兵就業輔導委員會在此闢建農場，由日本引進高緯度水梨栽種，Salamao 改為「梨山」，而日人命名的「サラマオ鱒」，現在的名稱叫「櫻花鉤吻鮭」（或臺灣鮭），成為臺灣「國寶魚」。接下來我們就大家熟知的「梨山」來稱呼「Salamao 事件」的發生地。

「Salamao 事件」是發生在霧社事件前的一次大規模的泰雅族人抗暴事件，其引爆點表面上是大正 9 年（1920 年）爆發的全球大流感，事實上卻是 Salamao 地區泰雅族人對國家暴力的反撲。整個事件從大正 6 年（1917 年）開始醞釀，雖然日本人宣稱蕃政底定，但居住於今梨山一帶，以 Tahut・Pihit 為首的泰雅族人仍不斷與日警有零星衝突事件發生，日人「以蕃制蕃」，誘使已歸順的霧社賽德克族人在佳陽殺害當地部落族人，

由倖存耆老口述在酒宴中遇害的青年多達九十餘人，從此佳陽沖積扇成為族人口中的「惡魔島」。日後，有兩位年輕族人報復突擊太保久駐在所（現松茂部落上方），以山刀手刃日警連同主管 8 顆首級。但為了維繫原住民順民的假象，也害怕引發原住民族連鎖效應，又不敢貿然派兵鎮壓，乃再度採取「以蕃制蕃」的手法，造成日後兩個族群之間的衝突與對立。

大正 7 年（1918 年）初，一場源自歐洲的流感大流行造成全世界的恐慌，估計全球有 5 億人曾受感染，臺灣也不例外。大正 7 年（1918 年）6 月初在基隆開始出現，然後蔓延全島，前後三波感染期至大正 9 年（1920 年）2 月底結束，造成約十四餘萬人感染，19,244 人死亡，其中死亡率最高者為原住民。大正 8 年（1919 年）元月時，流行性感冒在梨山地區的部落間蔓延，甚至延續到北勢群，病死者不計其數。族人認定必是異族入侵所造成，因此為了驅逐外族，族人恢復過去出草的儀式，造成日本統治者的壓力，不僅在隘勇線架設通電鐵絲網，並以警察飛行班實施蕃地偵察飛行，仍無法抑止族人「出草」。年底，族人再度發動兩次襲警事件，造成多名巡查死傷，一連串的衝突事件終於引來隔年的「Salamao 事件」。

大正 9 年（1920 年）9 月，梨山一帶泰雅族人聯手攻擊日警駐在所，造成日警及眷屬 3 人被殺死、9 人被馘首、7 人受傷，以及 1 人失蹤的慘案。日警再度動員霧社一帶「味方蕃」（指歸順的原住民族群）屠殺當地蕃人，在為期兩個月的時間中，

隘線上的通電鐵絲網。
（資料來源：《臺灣蕃
界展望》）

「味方蕃」突擊隊共殲得 25 顆族人首級，日警不僅與其合影留存，並鼓勵舉行被禁止許久的「獵首祭」儀式。表面上族人的抗爭似乎被控制平息，實際上衝突與爭戰仍持續發生，以蕃制蕃的伎倆也不斷上演。大正 15 年（1926 年），族人領袖 Tahut・Pihit 宣布並率領族人在「互不侵犯、和平共處」的共識下接受日人治理，結束「Salamao 九年抗日史」。泰雅族全面奮力反制日本人統治，致使八仙山伐木中斷三年（1920 年～1922 年），亦使鋪設中的八仙山森林鐵路中斷。時任職殖產局林務課的淺野安吉回憶道：「蕃害為八仙山砍伐事業的開展投下一抹暗影」，甚至一度有意將八仙山事業移轉至太平山開墾，當然最終並未實現。

久良栖

　　Salamao 事件平息以後，日本人仍心存忌憚，開始進行大規模移住計畫，將原本梨山一帶的泰雅族人遷往淺山區域就近監控管理，其中又以參與事件最深的 Ksetan 部落和 Pesyux 部落成為優先安置的對象，久良栖德芙蘭部落是其中最重要的移民村，今十文溪一帶成為族人重建部落所在。

　　日本政府透過德芙蘭 Lbak・Paran 頭目遊說，讓 Ksetan 部落遷移到德芙蘭部落一起居住；勸服 Pesyux 部落遷移到哈崙臺地，該地水田原屬德芙蘭部落，日本政府將另一處水田──Sekliy（今麗陽營區）補償給德芙蘭部落。兩個部落的族人安置妥當以後，日本人幫他們興建房屋，從此日本人和泰雅人和平相處。Lbak・Paran 頭目居功至偉，他居中斡旋、勸服、和談，終讓事件不再流血而和平收場，功勞應該歸於他。

──摘自《永恆的回憶錄》

　　遷居到德芙蘭的 Ksetan 部落與當地泰雅族人融合在一起，以上部落與下部落區分開來。Pesyux 部落遷居到今哈崙臺地，據耆老描述剛遷移到這裡時有許多的 HaLung 樹（山黃麻），HaLung 就成為今日地名「哈崙臺」的由來，成為今日人們口中的哈崙臺部落。日本在古拉斯設置理蕃總部，管轄範圍包括今日的南勢、裡冷、博愛到青山部落，除了派出所、警察宿舍，

還設有槍械所、公賣所和倉庫，所有配送到梨山、環山地區的物資，由委任苦力配送後屯放在倉庫裡。

今天回顧我們泰雅祖先們犧牲生命、死亡，他們是為了保護部落、護衛土地，使我們能夠生存，後代能有更好的生活，這是我們將長記於心中並心存感恩。日本與泰雅人至終和平相處，日本政府也並未奴隸我們泰雅人居住。為了安撫泰雅人，他們替我們蓋房屋，日本人親自下去蓋房子，泰雅人只是在旁協助，所有漢人（苦力）也一齊來蓋房屋，蓋完之後，一戶一戶分配給我們泰雅人。不僅如此，日本人也為我們泰雅人開闢水田，使泰雅人們不再因原始刀山火耕的生活方式而砍伐林木，使泰雅安心居住在平坦之地，好好從事農耕生活。日本人開闢良田，然後一戶戶分給泰雅人，並透過苦力（漢人）來教導我們種稻、犁田。日本人也拿牛隻賜給泰雅人，教他們農業生活，使他們生活改善。因此這樣看來，我認為日本有善良的

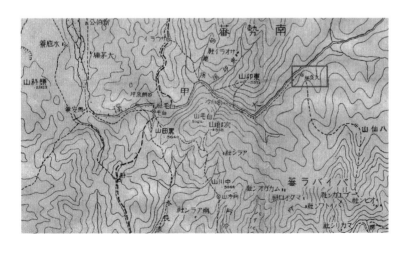

大正 3 年（1914 年）所繪製的蕃地圖中，即出現久良栖地名。（引自：《臺中廳理蕃史》）

日本人將梨山地區滋事的泰雅族人集中松鶴居住，就近監視與管理。（郭双富／提供）

本意治理泰雅人，總希望泰雅人能夠有很好的生活。

——摘自《永恆的回憶錄》

　　有人說「久良栖」是「古拉斯」的音譯，但從日人大正3年（1914年）以前所繪製的蕃地地形圖上，即可以看到「久良栖」的地名，似乎有意要這群不聽話的蕃人要「永久善良地棲（栖）居」在此地的意思。當然，他們並沒有想到戰後以「松鶴」為名的「久良栖」，竟然在八十年後差點慘遭滅村的命運，只是這一次泰雅族人沒有再被擊倒，在部落與族人的同心協力下，他們緩步地走自己的未來。

　　故事還沒有結束。大正15年（1926年），正當日本總督府以理蕃事業成功為由大肆慶祝的時候。第一位踏上大甲溪流域南勢群蕃界的森丑之助，孤單一人登上由基隆出發前往日本

松鶴部落族人的照片，一
旁小男孩身穿兒童和服。
（郭双富／提供）

的輪船，就在那個漆黑的夜裡，他必定反覆思量為何自己「蕃
人樂園」的理想未能實現？為何他效贋的日本帝國竟然汲汲於
掠奪蕃地林業資源？為何他的蕃人好友一一死於非命？這許多
難解的問題不斷困擾著他，他縱身跳入海中，結束了四十九年
的生命，也結束了他在臺灣原住民田野三十年的奔走。四年後
（1930年），霧社事件爆發，原本歸順的模範蕃社「味方蕃」
起來抗暴。莫那・魯道隨著魏德聖所拍攝的《賽德克・巴萊》
為國人所熟知，而八仙山林產事業，也在這一段時間如火如荼
地開展，一棵棵千年檜木不斷被送往帝國……，當然「久良栖」
也沒有缺席。

第三章 Chapter 3

【產業篇】
Tori：鳥居的獨白

八仙山上被選定用作日本神社建材的檜木，會掛上牌子，不可隨意採伐。（郭双富／提供）

　　鳥居（とりい，音 Tori）是日本神社的重要建築表徵，一踏入鳥居就代表脫離俗世之界，進入神明居住的神域，對於神社整體構建而言，這是重要的神聖象徵物。日本一直是臺灣一級木主要的輸出國，明治神宮的鳥居木料，即是阿里山林場1200 年扁柏木，這一點大部分的臺灣人都不陌生。身為日治時期三大林場的八仙山，對於日本各地大小鳥居的貢獻自然也不在話下。走在八仙山國家森林遊樂區，仍然可以看到八仙山神社的遺跡，當然鳥居早已不見痕跡，彷彿見證這裡曾有的繁華。日本時代臺灣三大林場的輝煌史就蘊藏在鳥居的獨白裡……

臺島森林遺利甚多

　　臺灣天然林生長旺盛，幾乎全部分佈於蕃地，惟蕃人不知利用，渡海來臺的漢人不論是定居開墾或伐樟製腦，均對森林造成極大的破壞。所幸「殘暴」的蕃人防堵漢人朝內山擴張，蕃地尚能有原始自然之森林留存，「遺利甚多」。

　　——〈臺灣總督府林務課森林調查報告〉，1896 年 11 月

　　馬克思在〈關於林木盜竊法的辯論〉中幫窮苦的勞動大眾辯護。他認為「盜竊」林木的行為是國家為了維護貴族利益所立下的惡法，英國的原始積累透過森林資源的掌控，它先落入貴族之手，再輾轉為國家所控制。十八世紀開始，由於林產不足與森林破壞導致社會不安與恐慌，英國率先將林業資源從原

八仙山林相豐富，坐擁紅檜、扁柏等經濟樹種。（郭双富／提供）

先的「貴族獵場管理之術」，轉為統治科學的一支。日本自明治維新以後，秉持科學理性之治理國策，對於森林資源的態度一直視為國家財政收入的來源。臺灣森林資源豐富，約占全島七成以上。平原丘陵區以樟樹、相思樹為主要樹材；高山寒帶則以紅檜、扁柏等針葉林為主要樹種。清領時期視高山寒帶番地為「無主之地」，番民為「化外之民」，因此林業資源蘊藏豐富。

1895 年 5 月 8 日，中日兩國在臺灣海峽舉行馬關條約換約儀式，向世人宣告臺灣正式割讓與日本。日本作為亞洲第一個殖民母國，對於殖民地的資源開發以經濟利益為優先考量。針對山林資源，臺灣總督府初於民政局下轄殖產部，分農務、拓殖、林務、礦務四課，讓臺灣林業以科學方式經營的政策正式與世界接軌。10 月 31 日，臺灣總督府以令二十六公佈「官

八仙山的森林資源豐沛，促使日本政府積極開發林木經濟。（郭双富／提供）

有林野及樟腦製造業取締規則」，對於日本政府而言，森林絕非同質的「自然」，不僅在生態上包括林木與林地、針葉林與闊葉林等部分，在地目與制度上亦包括森林與原野、林野與林產等區分。日本治臺之初，積極開發蕃地臺灣森林資源，主要理由包括蕃地治安、林木經濟、國土保安。蕃地治安一則為帝國統治的威信，再則可將「無主之地」收歸國有，等於奠定八仙山林業開發的基礎。

　　1896 年 11 月，總督府林務課依日本內地之經驗，擬定「森林調查內規」，召集大批專業人員進入蕃地，這批專業人士在「土匪猖獗」、「生蕃狂暴」的林野區調查林相，同時也指出他們對清末林業政策的見解，由於蕃人的阻擋與保護，使得臺灣原始林產「遺利甚多」。1899 年，小池三郎將阿里山檜木林公諸於世，其中一個原因是為解決鋪設縱貫鐵路所需枕木，八仙山的開發也不例外。由於臺灣林木多仰賴進口，其中又以中國福州杉木為大宗，「如何減少從福州輸入建材？」成為日本開發森林資源的經濟考量的近因；而第一次世界大戰的爆發，帶來日本國內經濟起飛，這是促進日本得以將三大林場收歸國有的遠因。至於國土保安則常與經濟利益之間相互衝突。

發現八仙山

　　曩日臺中隊推廣隘線於大甲溪上流方面之際。發見一大檜林大為有利。其地在八仙山隘勇監督所附近之前岫後嶺。海拔

高七千九百尺。材幹繁茂。千年斧斤所不到。其區域之廣闊。僅線內亦有幾千甲。殆目力所不能徧及。當時推隘隊為開鑿道路。伐採殊甚費力。爾來隘勇線之射界。欲行伐採。勞力尤為不少。在該處附近檜樹鬱蒼。日光不能普照。一日之間。只自午前十一時始至午後一時止。得見光線耳。現時尚未聞有籌畫欲伐出以製材者。在臺中廳擬以推隘當時所伐採者。先行發賣。並屬本島人所經營製材公司為伐採。此次殖產局將派技手出赴該處。妥為調查。該伐採區域。約有三百甲。搬出則有溪流可以利用云。

——〈漢文版日日新報——臺中檜林製材〉，1911年11月25日。

日本將殖民地林野作為一種產業經營，建立一套以林產為主體的森林利用計畫，其中包括三大官有林場的開發與利用。1910年，帝國議會通過「阿里山森林開發官營案」，翌

臺灣日日新報對臺中八仙山發現檜木的中日文報導。（郭双富／提供）

年（1911）年底，日日新報開始報導八仙山檜木的發現，再隔年（1912）12 月，阿里山森林鐵路自嘉義北門至二萬坪段全長 67.1 公里的鐵路正式通車，臺灣林業經濟進入一個全新的階段。

杣人綱島正吉

檜林鬱鬱隔塵寰，蔽日穿雲神祕間；

有味談來綱島氏，前途多望八仙山。

——日日新報〈八仙山〉，1914 年 6 月 28 日

日人稱從事林業相關工作者為杣人（そまびと），他可以是林業技師、樵夫（しょうふ）、木馬人夫、滑道人夫等，八仙山的採代事業，杣人綱島正吉是歷史上必須記載的頭號人物。打從 1912 年初，阿里山林場技師綱島正吉就多次進入調查八仙山林野「遺利」，隨著蕃界局勢日趨穩定，八仙山開採計畫也日趨明朗。1914 年 5 月，正式啟動八仙山官方調查作業，由時任林業課課長綱島正吉技師，在臺中廳久保技師的陪同下展開一場八仙山探險之旅。隨後，臺灣日日新報邀請兩人發表對「臺中八仙山價值」的評估，報告中他們比較阿里山與八仙山林區之狀況，提出幾項具體的意見：

1. 林木資源：八仙山樹源以栂（鐵杉）、松等為主，利源較薄，檜木林雖不若阿里山之廣，但也不像阿里山

從事伐木工作的杣人在宿
舍休息用餐。（郭双富／
提供）

有很多都已經是老齡腐朽。而且八仙山檜木直徑都在 2
尺（約 60 公分），樹環圓周寬約 48 尺（約 14.5 公尺），
樹身美麗無雜色，未來在市場一定很受歡迎。

2. 交通運輸：八仙山將來斫伐之木，可利用大甲溪送至
葫蘆墩（今豐原）、北港溪送至東部，非常便利。其
地形不若阿里山崎嶇險峻，未來可由山腳佈建輕便蒸
氣鐵道直出臺中，製材運輸相對安全迅速。

3. 營運經費：一年經營費用約 30 萬就足夠，不若阿里山
每年要花費 100 萬圓。主要原因就是有河流可以作為
林木運輸之用，可以節省交通建置的費用。

最後的結論是：「該山檜林，以樹齡恰好、運輸利便、經
營容易，蓋比嘉義阿里山而大益也。」。

同年（1914 年）6 月，八仙山調查正式終了。綱島正吉應

九皐會（藝術文化推廣社團）之招待，於臺中舊知事邸以〈八仙山的真相〉為題，向大家介紹在森林探險的經過。這次的報告內容相對務實保守，本書翻譯摘錄如下：

八仙山檜林沿六千尺以上稜線生長，紅檜也一樣。只是不像阿里山的紅檜與檜木可以於樹皮及枝條辨認，八仙山檜木要由外觀辨認極難，必須把外皮削掉看它的顏色才能夠確定。另外，八仙山面積比阿里山小，立木也比不上阿里山大，檜木立林約有二百萬尺才，只有阿里山八百萬尺才的四分之一。若要利用河運，大甲溪水湍急，岩石相望，由八仙山到東勢角九里餘，經此要五小時，途中無停筏之處，水運艱難。如果利用北港溪，則岩石比大甲溪還多，但如果能夠加以開闢，除岩石、廣河道，也不是不可能，只是得進一步踏查才行。

《臺灣日日新報》最後還以一首題名〈八仙山〉的打油詩描寫綱島正吉的這一場演說，形容他的前途似乎像八仙山繚繞的雲霧一般，全寄望在檜木生產事業上了。當然，要數八仙山森林事業功勞者，綱島正吉肯定是第一人。1877 年 5 月，綱島正吉誕生於日本岡山縣都窪郡早島町平原，家鄉距離瀨戶內海不到二十公里，也許是這樣的關係，讓這一位畢業於東京帝國大學農科的高材生，在留校當助教不久，二十歲就選擇離鄉背井，遠赴當時日本殖民地朝鮮（韓國）統監府（相當於臺灣總督府）擔任營林廠技師，可能是北方寒冷的氣候讓他一直飽受

鼻病問題困擾。1910 年 5 月 5 日，他選擇到南方的臺灣總督府阿里山作業所就任技師，成為八仙山林業調查第一人。七年後（1917 年），時年四十一歲的他因為罹患胃疾辭官返回日本休養，結束他杣人的生涯。

他留給臺灣人的回憶，除了八仙山林業的開展，還有一件與阿里山森林開發事業有關：1914 年 2 月 11 日，阿里山鐵路正要延伸到沼平車站，為了適應二萬坪附近更大的坡度（1/15），由一位阿里山鐵路技師進藤熊之助駕駛蒸汽運材列車進行煞車性能測試，結果火車失控翻落懸崖，進藤熊之助傷重不幸過世。文獻記載，他明知火車失控，依然堅守崗位，不願意跳離駕駛室，最後跟火車一起翻落懸崖而殉職。他的犧牲換來教訓，讓蒸汽運材火車全部加裝空氣煞車系統，同年 3 月

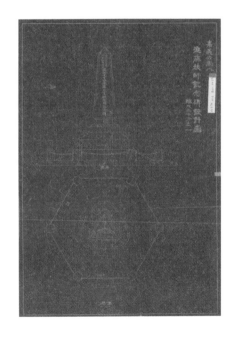

綱島正吉繪製的「進藤技師記念碑」設計圖。（資料來源：「故阿里山作業所技師進藤熊之助殉職記念碑建設認可（綱島正吉）」（1915 年 6 月 1 日），〈大正四年永久保存第三十卷〉，《臺灣總督府檔案》，國史館臺灣文獻館，典藏號：00002370016。）

14 日，阿里山鐵路沼平站正式營運通車，開啟阿里山林業發展的扉頁。事件發生後，作業所同仁募資為他建造一座「阿里山作業所技師進藤熊之助殉職記念碑」，1915 年，這座紀念碑在嘉義公園矗立。1935 年，由於阿里山森林事故頻仍，紀念碑被視為有鎮守功能，被移到今日的二萬坪森林裡面，默默守護這一片森林，至今供人憑弔。當時申請發動設立紀念碑的人，正是時任林務課長的綱島正吉。

1915 年元月，總督府營林局八仙山出張所設立，首任所長正是綱島正吉。1916 年 8 月初，正當八仙山事業如火如荼的開展之際，他的足跡已踏上大安溪上游至大雪山間，帶著 8 名東勢角警部巡查、13 名隘勇、5 名蕃人、10 名附屬隨從，一行人浩浩蕩蕩往大雪山出發，花了兩個月調查這一處檜木林的林況，「觀者以為此比八仙山檜林尤為廣大」，這處林地就是戰後國政府來臺開發的大雪山實驗林區所在地。一直到 1917 年 10 月，他突然辭去八仙山出張所所長一職，引起媒體譁然，就在他離職的前一個月，八仙山決定規劃將木馬運輸法改為輕鐵運輸。

1914 年 7 月 23 日，阿里山作業所所長永田正吉向臺灣總督府呈送《八仙山森林作業方針》報告書，內容大抵建立在綱島正吉的森林探險報告內容上，本書摘要如下：

八仙山林區位於中央山脈中，合歡山支脈白姑大山以西，以北港溪（南）、大甲溪（北）為界，海拔介於二千尺至九千尺之間。主要林木從熱帶到溫帶林木都，包括栂（鐵杉）、扁

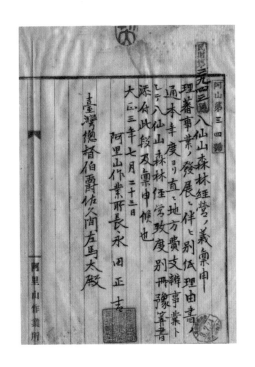

1914 年 7 月，阿里山作業所長永田正吉所撰寫《八仙山森林作業方針》。（資料來源：《臺灣總督府檔案》）

柏、五葉松、赤松、杉、樫、欅、樟、楠仔、柯及其他闊葉樹種。作業方法可以人力與牛隻搬運集材，再修築林木索道至大甲溪岸，為避免投資過多資本，以流伐利用大甲溪或北港溪湍流運送到平地。

　　除了作業方法，報告書內容詳列各樹材積、年伐額、十年間所要經費預算，以及大正 3 年（1914 年）度〈八仙山森林經營預算〉費用，其中包含事務費、設備費與伐木費總計 21,284円（圓）。初步計畫於大甲溪岸東勢角及稍來平設兩處出張所（辦公處），人員配置含出張所所長共 9 名。

　　8 月底，三井物產會社對八仙山的經營表示高度的興趣。

另一方面永田所長也積極爭取八仙山與阿里山合併經營，原因是雖然阿里山木材豐富，為全島之冠，但搬運鐵道常常為風雨損壞，一年之間，固定會有好幾個月無法運送木材，造成嘉義製材所無法作業，而想要購買木料的人，也不能忍受這種時有時無的狀況，八仙山林木剛好可以彌補阿里山的缺陷。

9月初，永田正吉就在臺中廳長枝德二的陪同下，親自走了一趟八仙山，報紙形容是「**廳長の檜林探險**」。9月底，報紙傳來八仙山伐木計畫確定由官方推動的消息，自隔年正式採伐，以流筏運送到石岡附近集蓄，然後假輕鐵運到葫蘆墩（今豐原）。

10月初，臺中廳長枝德二計畫再度探訪八仙山，這次計畫順道視察白姑大山一帶林木，然後渡北港溪，跨合歡山，自追分出埔里社，由輕鐵歸，但後來並沒有成行。一直到13日，他才陪同永田所長視察八仙山，這次他們由臺中驛坐火車到葫

八仙山陡峭崎嶇的地形，木材的運輸工作是一大挑戰。（郭双富／提供）

蘆墩，再轉搭輕鐵到東勢角，搭汽車到久良栖監督所住宿，隔日再上八仙山，往返一共花了五天。

11月底，確定阿里山、八仙山、太平山（時稱宜蘭濁水溪右岸檜木林）三大林場「**檜材統一經營計畫**」，其原因是為了解決阿里山森林鐵道的經常性故障，造成號稱「東洋第一」的嘉義製材場經常性閒置的問題。將兩大林場納入經營，可以解決阿里山林場經營的困境，以及分擔阿里山森林鐵路龐大的維修花費，這是永田正吉所長一直以來的計畫。

12月底，臺中廳以地方稅收拓寬東勢角到八仙山隘勇道路開工，為八仙山森林伐木事業預作準備。

關鍵 1915 年

樹木若不將其竹林中取出利用，自會腐朽，此莫大之天賜遺利，豈可袖手旁觀！
——臺中廳長枝德二，《臺灣日日新報》，1914 年 9 月 10 日

由於阿里山森林開發案所費不貲，再加上日本內地多委由民間經營伐木事業，因此，八仙山最初計畫「屬本島人所經營製材公司為伐採」，但由於第一次世界大戰的爆發以及阿里山林場經營的困境，總督府決定將太平山（北部）、八仙山（中部）、阿里山（南部）作為三大官營森林事業地，實施大規模、集中式的林木伐採。1915 年（大正 4 年）元月，阿里山作業所

改制為營林局，事業範圍擴及八仙山與太平山，正式實踐「檜材統一經營計畫」。

1915 年 4 月，報紙上傳來兩則好壞消息，好消息是東勢角到久良栖監督所道路全面開通，道路幅寬者六間，狹者四間，險峻路面全部剷平成緩坡，連婦人小孩都可以穿著木屐輕易的行走其間；壞消息是八仙山 30 萬開採預算遭日本議會擱置，一直無法動支，導致營林局只能先行聘任三名技手，入山調查立木與河流狀況，其餘作業完全無法開展。至於議會為何凍結預算？因為當時的議員質疑：「阿里山經營如果依照當時計畫，應該已經有一定的成效，為何又要求在今年度編列與此相關的八仙山作業費用？」時任臺灣總督府民政長官內田嘉吉回答：

八仙山與宜蘭廳下濁水溪附近（指今太平山林場）之經營，皆與理蕃事業有關係，同謀開發此方面之目的。阿里山之經營，面臨的各種障礙，並不是當時計畫可以預想的困難。又因為八仙山的經營，剛好可以與阿里山相互調節產量，達到一定的開發程度，也許日後還有追加預算的需要。

這段話義正辭嚴，彷彿向日本議員宣示：「臺灣林業經營是山地治安（理蕃）的附加價值，我們在臺灣的森林事業並不是你們議員所想的那麼簡單，八仙山目前雖然只是協助阿里山林業經營的附帶策略。但是，未來絕對有獨立經營的可能性。」就這樣，6 月，日本臨時議會終於通過八仙山事業預算 27 萬

1669 圓，營林局八仙山出張所正式運作，首任所長綱島正吉。

9 月，八仙山出張所召募的第一批 280 位杣人正式報到，其中包括來自日本的內地人 130 名，以新竹廳為主的本島人 150 名，他們一部分從事伐木作業，一部分則開闢現場運材道路。接著就是基礎工程的建設，例如土牛貯材所的開闢，以及土牛到葫蘆墩輕鐵接駁的作業協調等。一直到翌年（1916 年）2 月，第一批八仙山林材正式運出八仙山林場。

明治神宮的驕傲

八仙山出張所所長綱島正吉對於林材可運出的數量一直很保守，一方面大甲溪水流運出成效難料，再則杣人難求，甚至必須透過中人引介，每位中人可以得到一圓到五十錢不等的價金。初步計畫採伐量設立在 25,000 尺才（約 7,080m^3）左右，差不多是阿里山林區的 1/4，宜蘭濁水溪右岸林地（太平山）的 1/2。

1916 年 2 月，八仙山伐木事業用電話線路終於架設完成，電話室分別設於臺中廳東勢角支廳管內、朴子口庄營林局（土牛）貯木場、東勢角庄營林局派出所、蕃界久良栖營林局八仙山事業所、八仙山營林局事業所（佳保臺）等處，人員連絡系統建立完備。中旬開始，八仙山第一批林木順利由久良栖土場（集材所），利用大甲溪水流運送至東勢角土牛貯材所，由 80 名人夫負責放流運送，還指揮居住當地的 27 戶生蕃進行各種勞役，整整花了一個月才將 2,500 尺才（約 708m^3）林木完全

運出。葫蘆墩輕鐵會社配合將豐原到土牛輕便鐵道延長至（土牛）貯木場，順利將林木從葫蘆墩車站由縱貫鐵路載送至嘉義製材所，這一次成功的放流經驗讓營林局信心大增。

3月，日本皇室決定選用阿里山檜木作為明治神宮主要用材，除了鳥居全採用阿里山檜木之外，其餘部分用材也來自首批運送下山的八仙山檜木。23日，這批來自臺灣阿里山與八仙山的檜木，由南京丸輪船運送至日本東京，成為殖民地臺灣送給天皇最好的禮物。8月，臺灣總督府營林局藉由媒體宣傳的效應，一方面歡迎島內有意者組織合資會社共同購買所，再方面比照內地官營材的銷售策略，赴內地指定「交關店」。

10月中旬，第二批2,500尺才林木放流運送。與之前不同的是，本來由營林局自行雇工搬運的作業，在八仙山出張所所長綱島技師的指導下，改由東勢角物產株式會社負責。這一次

豐原貯木池中，漂流著八仙山運下的大木，足可讓人站立。（郭双富／提供）

由本島人包辦的放流作業非常順利，歷時一個月，同樣利用大甲溪水從久良栖放流至土牛貯木場，成績斐然。此後，幾乎每一個月，報紙就有一則關於「八仙山近況」的報導，畢竟當時「臺中一中的設立與八仙山事業的開展」被視為振興臺中市況的良方，成為本島人共同的希望。

　　八仙山林木事業的定位，一開始即為補彌補阿里山林區的不足，因此，初期伐木經費少得可憐。日式人力採伐，自然力運送，至於所採木頭直接送往嘉義製材所，當然沒有另外設置製材所的必要性。八仙山出張所在大甲溪各支溪上游進行伐木、集材、運材作業，利用大甲溪進行水道放流。其作業方式以人力為主，利用天然坡降地形，就地取材以木材或泥土鋪設滑道，或利用簡易絞盤進行短距離集材作業，或開設木馬道集材至久良栖土場，由久良栖利用大甲溪水流將木頭漂流而下，沿途設

初期會利用天然坡降的地形，鋪設滑道，進行集材工作。（郭双富／提供）

【左】工人轉動絞盤，將木材垂降至臺車上。（郭双富／提供）

【右】豐原貯木池暫定廣闊，儲放大量由八仙山運下的檜木木材。（郭双富／提供）

專人進行操作監控，一路漂流至土牛貯木場（今石岡和盛里），利用葫蘆墩輕鐵運送而出，再接縱貫鐵路運送至嘉義製材所。大甲溪河段由久良栖至土牛全長約 30 公里，利用溪流運送有許多風險，這些都在當初綱島正吉的預料中，其中包括：

1. 夏季水流量過大，河水暴漲。

2. 冬季枯水期水流量不足。

3. 溪流內暗藏大小岩石。

4. 潛流所造成的水流方向改變。

5. 部分溪面太過遼闊造成木材漂散。

6. 原木在激流中碰撞，造成傷損，影響價格。

只是，這些技術層面的問題，很快的就隨著八仙山林木的運出，以及日後事業投資額的增加而解決。

運輸設備的機械化

　　1919 年，總督府頒佈「臺灣森林令」，成為臺灣林業史上的一大變革，它將林產與保安結合在一起，設置森林警察執行森林不當利用或破壞之取締任務，這也是臺灣林業利用走向制度化的階段。1920 年代，臺灣林業政策日趨明朗，基本上600 公尺以上的林地屬於私經濟林地，經營採伐期短、生長快之樹種為主，如相思樹、竹林等。600 公尺以上則為官有林地，由國家以保安、經濟、永續的原則為經營的基礎。循此原則，除了官有林場設置若干機械設施以減輕對勞動力的需求之外，其他民營林場，從伐木、造林、集材到搬運，幾乎全部仰賴人力。總督府營林局視臺灣林木自產自給為政策目標之一，礙於人力採伐產能有限，產能一直不能滿足大眾需求。如何增加三大林場的產能，設備的更新與機械化成為首要的任務。

官有造林新事業

　　1917 年，由於日本內地木材會社景況優良，再加上軍需品用之於箱板，銷路良好，市價上漲，營林局的木材供不應求，也為八仙山森林事業注入一劑活水。首先是民間的配合，由於官林開採事業的成功，引來民間資本的熱絡，一是東勢角產業會社預計投入近六千圓，計畫以水車作為動力，建設葫蘆墩製材所；二是有民間提出葫蘆墩街貯材所設置計畫，預計投入資本利用葫蘆墩圳將林木由土牛放流至葫蘆墩。雖然這些事業後

來都沒有成局，但仍可視為民間對臺灣林業前景的看好。其次是官方對運材法的改良，擬由木馬運材法改為輕鐵運送，這些計畫後來陸續實現，依序進展。只是八仙山出張所所長綱島正吉看不到這些成果。1917 年 10 月，他突然辭職去官，決定返回東京靜養休息，引起媒體譁然，原來他長期受胃疾困擾，同時引發神經性衰弱症，醫生建議他得到「水土氣候較佳之地靜養」。這一年雖然南勢蕃情漸漸平穩，居住在稍來、白毛、久良栖等地方的蕃人接受「指導啟發」，以久良栖為模範蕃村，集中管理。但是，居住於今梨山一帶，以 Tahut‧Pihit 為首的泰雅族人仍不斷與日警有零星衝突事件發生。他的壓力之大，可想而知。他去職之前除了確定日後八仙山林場輕鐵運送計畫，另一件事是確定八仙山作業區域：「**東自八斗大山南方至東峰溪，西自裡冷溪合流點號至海 拉社，南接北港溪上游，北界十門溪。**」此後，若有人想在區域內開墾，都必須向營林局申請許可。12 月開始營林局長服部仁藏視查八仙山，積極展開全島森林調查計畫，臺灣林木事業如火如荼的展開，其中最重要的就是運材設備的機械化。

輕便臺車

　　1917 年開始，可以隨著工區而移動軌道的輕便臺車在八仙山各伐採林區與佳保臺間使用，這是林場最早機械化的開始，鋪設的軌道材料較輕，路基簡便，甚至只需要一層泥土覆

蓋，雖然減少人力運送的成本與時間，但只能進行小規模且平坦路面的運送作業，較大坡度常發生意外事故，反而延遲運輸時間，故效益有限。

平地鐵路（土牛──久良栖山地線）

　　1919 年 8 月，「八仙山新計畫」開展，自土牛貯材所至八仙山（久良栖），沿大甲溪左岸三十餘哩間敷設運材輕便鐵道平地鐵路開工，經費約 35 萬圓；10 月，延長久良栖至佳保臺傾斜鐵路（伏地索道）工程，預算增加至 100 萬。土牛貯材所至八仙山的鐵路工程進行並不順利，前後施工近四年，天災人禍不斷，工程才剛進行施作就遇到阻礙。1920 年 9 月，梨山一帶泰雅族人聯手攻擊日警駐在所，造成日警及眷屬 3 人被殺

機關車軌道多開闢於險峻地形，容易發生意外事故。（郭双富／提供）

死、9 人被馘首、7 人受傷，以及 1 人失蹤的慘案，致使伐木、鋪設森林鐵路被迫中斷。1921 年中旬，蕃亂稍平，伐採林木重新開始，鐵路鋪設重啟又遇風災崩塌，造成鐵軌被土石掩埋。1922 年工事繼續進行，卻因天災頻繁而進度緩慢；10 月，殖產局長喜多孝治視察八仙山，催促運材軌道工事進度。1923 年元月，這條平地鐵路正式竣工，但初期僅辦理木材運輸。直到 1931 年 6 月 1 日，才開始辦理客貨業務，一日一回。每日上午 9:30 由土牛發車，下午 1:19 可達久良栖。首發新聞稿上，營林所還貼心的告訴遊客，如是要從臺中出發，可先搭乘上午 7:30 縱貫鐵路於豐原下車後，再轉搭上午 8:22 輕鐵（五分車）轉往土牛，久良栖到臺中的一日生活圈於是日開始。八仙山鐵路通車以後，除了每年夏季颱風豪雨，常常造成交通中斷之外，也發生不少意外事故。1933 年 12 月 1 日，發生營運以來第一起重大傷亡事故。滿載六輛貨車與十八名乘客的機關車於上午 8:50 在白冷驛附近翻落溪谷，造成乘客一人死亡、十一人重傷、一人輕傷的悲劇。另一次最大的悲劇是發生在戰後，1954 年 7 月 27 日，八仙山上小火車翻落懸崖，造成三十年來空前慘劇，十五節車箱全毀，四人死亡、五人受傷。

斜坡鐵路（久良栖——佳保臺林場線）

土牛至久良栖的軌道被稱為「平地鐵路」是有原因的，因為還有一條山地斜坡鐵路還在施工，這一條鐵路由久良栖至佳

開闢於山勢極峭的伏地索
道，可供山上的木材順利
運下。（郭双富／提供）

久良栖車站。（郭双富／
提供）

保臺，傾斜角度可達 40 度。平地鐵路完工以後，各種機械設備得以運送至久良栖，加速斜坡鐵路施工的進度。同年（1923年）3 月，久良栖至佳保臺的斜坡鐵道順利竣工啟用，坡度高差達 1,000 米，分為上（1,159m）、中（566m）、下（466m）三段，全長 2 公里。這段斜坡鐵道可以運送木材與人員，林場人員不習慣稱為鐵路，通常以「伏地索道」稱呼，一般人則以其為通往林場的運輸路線，稱之為「林場線」。平地鐵路與斜坡鐵路接通以後，久良栖車站成為前往八仙山佳保臺的轉運站，由平地到八仙山過夜的地點。久良栖車站利用八仙山林場自產上等檜木興建而成，它兼負車站與林場辦公室的功能，在車站下方的林場巷，仍可見當時的官舍、招待所等日式屋舍，山坡下方搭建許多併排式的簡易宿舍和工寮，提供當時上山工作的伐木工人居住。戰後在林場退休員工鍾報正先生在接受電視媒體訪問時說：

這些房子都是日本時代到現在，我從民國 32 年住到現在，外層是木板，裡面還有一層是土，再裡面有一層竹子，桂竹剖成四片編織起來，外層都是檜木一級木，從 32 年住到現在外牆從來沒有換過，只有屋頂漏水有處理過。

1923 年對久良栖是關鍵的一年，這一年久良栖對外交通完全改觀，成為連絡山上林場與山下貯材所最重要的據點。1931 年 6 月 1 日，營林所正式辦理客貨業務以後，民眾往來更

加便利。平地人所稱的機關車，久良栖的民眾稱為碰碰車，鍾報正先生回憶當時的情景說：

　　這是日本時代的招待所，碰碰車到久良栖已經很晚了，在這個招待所住一夜，然後再前往佳保臺。當時是我媽媽在管理，有點類似旅社的性質。

　　就這樣久良栖從一個安置蕃人的地方，因為產業因素成為重要的集散地，除了原有的原住民、林場人，還湧入許多嗅到商機的平地人來這裡做買賣交易。

高空索道

　　從 1930 年開始，為了克服臺車無法用於坡度過大的斜坡問題，林營所陸續興建四條高空索道，以克服地形地物障礙的問題，分別是僻亞歪索道（1931 年 3 月完工）、十文溪第一索道（1938 年 2 月完工）、十文溪第二索道（1938 年 3 月完工）、馬倫索道（1940 年 5 月完工）。這些索道當然是以載運木材為主，但是為了節省人員移動的時間，常常加掛纜車進出工區，也兼有人員運輸的功能，一般林場人員稱為「高空纜車」。值得注意的是後三條索道的完工都在中日戰爭爆發（1937 年）以後，昔時臺灣林業資源已不只供應民生所需，成為一種戰備物資。1931 年，八仙山第一條僻亞歪索道完工以後，是年 3 月

高空索道。（郭双富／提供）

24 日，殖產局長百濟文輔利用赴臺中視察帝國製糖工場、營林所臺中出張所及豐原製材所的機會，於翌日即登山八仙山，視察索道運材作業流程，可見殖產局對這些新式機械運材設施的重視程度。除此之外，十文溪左岸的水力發電廠（1922 年）、佳保臺製材工廠（1929 年 3 月）的興建都與林場事業的開展息息相關，前者讓各項電器、照明、通訊設備可以正常運作；後者主要供應山場所需木料，如工寮、橋樑、軌枕等。

上述各式機械化運輸設備的建設，主要原因都是「八仙山林木原藉大甲溪水流運出，不便不利。」或如營林所長佐藤勸

所言：「全山大樹古木，蒼鬱繁茂，因無阿里山之機械力，微微不振。」平地鐵路（機關車）、斜坡鐵路（伏地索道）、索道（高空纜車）、輕便臺車，逐步取代人力及自然力集材、運材作業，只是伐木的工作，還是得由有經驗的人員來進行。

從林產到觀光

昭代恩澤遍孤島，殖產興業日駸駸；

伐木造林相並進，國利年收百萬金。

——總督府技手伊藤貞次郎

1927 年對殖產局林務所臺中出張所而言，是製材事業向前推展的里程碑。8 月 28 日，八仙山入選臺灣八景之一，成為全國（日本內地與臺灣本島）知名的景點。10 月，豐原貯材所竣工啟用，臺中出張所移至豐原，豐原製材所也同步完工啟用，從此，八仙山可以自行處理部分木料製材，不用再全部轉運至嘉義製材所。

東京來的貴賓

隨著基礎設施的完備，八仙山林產事業蒸蒸日上，伐木作業日漸順暢。1929 年 5 月，殖產局營林所有一位來自內地的貴賓到訪，他是「東京臺灣材組合代表武氏昇太郎」，這次來臺為視查臺灣官營三大林場的檜材伐採作業。他接受媒體訪問談到：

因為內地優良檜材幾近伐盡，臺灣檜木在日本的需求與日俱增，從去年的一萬六千石（1,600m³），增量到今年的兩萬石（2,000m³），營林所打破過去 23 年來由鈴木商店野澤組寡占專賣的局面，引進更多有意販售臺灣材的競爭者，價格是過去的三倍。臺灣檜木材質硬，品質優良，可以防止東京家屋最擔心的白蟻蟲蛀問題。這幾年在營林所的努力下，代理商從進口臺灣木材的利潤大大提高，只是數量還是比不上三菱、三井株式會社，每一年從菲律賓進口的 20 萬石（20,000m³）南洋材。這一次的旅行看見三大林場無盡藏的檜材，至少可以伐採三百年還有餘裕，是此行最大的收穫與喜悅。

不僅對內地的銷售量大增，島內木材也日漸暢銷，只是大都以次級品為主。營林所鑑於本島所產木材優良品販路漸廣，擬為起價，至於下級材則降價求售，同時以增加收入，不影響民生為原則。對島內的銷售策略是：

對於上級品，如扁柏換角、板類、小割類之上等物，由於販路漸廣，各漲一成；上記之次級品，如紅檜製材品全部各起五分。亞杉、中華檜、柾子松、栂圓材各落五分。扁柏、紅檜圓材之直徑一尺四寸以下者，也各降五分。降價品都非良材，如姬子松都用於棺木，至於漲價的木料，大都是大木工事用材，由於已慣於使用良材，可以讓營林所收入大增，至於民間家屋多用福州杉，則完全不受影響。

1916 年 8 月，臺灣檜木比照內地官營材的銷售策略，採用「特許制」，將木材市場劃定為數個販賣區域，並在每一販賣區域中指定一名指定商為「交關店」。此「販賣區─交關店」的獨占制度，可讓營林所得避開材商間的競爭、拉高木材市價、降低經營風險及拿捏木材供需間的平衡。自 1917 年起，鈴木商店、東京野澤組、三井物產合資組成「東京臺灣材組合」，分別負責關西、關東與海外（利物浦）的臺灣檜木販售事業。

　　至於島內通路，最初以民間入札（競標）公賣。1922 年才改為特許制，由淡水施合發商行、嘉義小野寺舜平、本島人五名（通稱七人組）共同組成臺灣木材共同販賣所與臺灣丸太

日本政府推出許多山林專書，向國人介紹臺灣的山林資源。（郭双富／提供）

共同購買所，負責營林所官有林場木材銷售的販售。1932年，由於販路雍塞、週轉不靈，導致營林所收入大減。不得已引進日本內地三井物產會社共同參與，支出數百萬圓，另外組織臺灣材友會積極拓展通路。三大林場年產30萬石（30,000m³），每年銷售額約有356萬圓，三井物產會社加入共同販賣行列以後，開放東京、大阪、京都、名古屋各地木材會社申請販售，銷售量大增。

八仙山繪葉書

臺中名勝八仙山，萬仞黎明在此間；百丈鉛橋高百米，千町鐵路曲千彎。

危崖絕頂神工出，箐密林深古木刪；政府經營真周到，運輸全部是機關。

——〈八仙山即景〉，1927，張麗俊

除了林產事業，拜1920年代興起的世界旅遊風潮，臺灣也不落人後，八仙山成為當時臺灣熱門的旅遊景點，從蕃地探險、實業考察到森林風光，前後不過十數年。

1926年初，臺中市寶町福原鐵砲店張貼一張「臺中實業團八仙山見學」宣傳單，這項活動公開邀請臺中市實業家參與，預計人數四十人額滿為止，只要在活動前申請登記即可，傳單才張貼不久，就引發熱潮，立即額滿。2月6日凌晨4時，

張麗俊

張麗俊（1868年～1941年），字升三，號南村，晚號水竹居主人，臺中葫蘆墩（今豐原市）人。日治時期曾擔任庄長、保正、保甲聯合會會長、土地整理及林野調查委員、豐原街協議會員、水利會評議員、農會理事及葫蘆墩興產信用組合理事、豐原慈濟宮修繕會總理等職。《水竹居主人日記》（1906年～1937年）由中央研究院近史所出版，為研究近代臺灣中部仕紳生活重要的參考文獻。

臺中實業團一行開心的在臺中驛前集合，大家在車站前合影留念，留下一張歷史性的照片。他們搭乘縱貫鐵路到豐原，再轉搭輕便鐵路到土牛。然後換乘機關車，火車沿著大甲溪左岸而行，沿途風光明媚，但途中細雨霏霏。中午在白鹿驛午餐，下午天空開始放晴，大家的心情也愈加亢奮，到達久良栖不久，出張所的安排下，他們立刻轉搭斜坡鐵道往八仙山前進，下午四時半抵達佳保臺，晚上在佳保臺度過一個難忘的夜晚。翌日（7日）早上7點，一行人再由佳保臺出發，一路參觀運材、集材作業實況，再到「圳灣」溪鞍部實地參觀大檜材伐取作業，接著再返回佳保臺。8日一大早沿回程搭火車折返土牛，下午一行人在東勢公會堂接受官民歡迎會。下午5點18分，實業團成員由土牛搭乘列車平安返回臺中驛，臺中市消防組員及其他人出迎，熱烈歡迎這一群實業冒險家，最後所有人在驛前三唱萬歲才解散，但實業團成員接著馬上到臺中神社參拜，感謝天皇恩澤，能夠順利平安完成這一次的旅程。

其後，陸續有登山隊前往八仙山，例如：臺中一中登山隊、臺中教育會攝影隊、豐原在鄉軍人等。1927年8月14日，八仙山在臺灣與內地民眾票選下，入選為新臺灣八景，打敗知名的日月潭、阿里山與太魯閣峽等知名景點，一時登山隊絡繹不絕，每星期都有10至20人組成的登山隊前往。翌年（1928）1月，營林所乘勝追擊，推出一組十二枚的〈八仙山繪葉書〉，造成搶購風潮。

繪葉書（エハガキ）

繪葉書（エハガキ）是日文的風景明信片之意，日本人在各地旅遊時，習慣在郵局、火車站、博物館或名勝景點買繪葉書蓋記念戳，郵寄回鄉，與家人分享到此一遊所見及報平安，在殖民時期還有宣揚國威的意味。

【上】繪葉書展售圖。（郭双富／提供）
【左】臺中實業團拍攝的八仙山清水臺大
山神社。（郭双富／提供）

八仙山登山畫報
清水臺の大山神社

風光的臺博會

　　1935年（昭和10年）日本統治臺灣40週年，於該年10月10日至11月28日期間在臺灣各地（以臺北市為主場地）舉辦始政四十周年記念臺灣博覽會（臺博會），這是臺灣有史以來第一次舉辦大型博覽會，八仙山當然也沒有缺席。臺灣總督中川健藏為順利推動博覽會活動，除由官方組成籌備會之外，另有官民合組的「臺灣博覽會協贊會」為協辦單位，由臺灣電力株式會社社長松木幹一郎擔任會長，臺灣日日新報社社長河村徹為副會長，負責臺灣博覽會的餘興活動、宣傳以及會員募集事宜。1936年6月15日，吉田初三郎（1884年～1955年）受日日新報邀請來臺，遍探八景十二勝，留下「八仙山佳保之溪勝」圖。吉田初三郎是日本盛名一時的鳥瞰圖繪師，拜

【左】始政四十周年記念臺灣博覽會專刊手冊。（郭双富／提供）
【右】吉田初三郎所繪「八仙山佳保之溪勝」圖。（郭双富／提供）

日本觀光熱潮，初三郎設立「大正名所圖繪社」（後改稱「觀光社」），臺灣現有日治時期觀光鳥瞰圖多為其遺留作品。

新八仙山

1937 年七七事變爆發，臺灣與福州間的貿易被中斷，林業受到嚴重打擊，加速八仙山伐斫事業的進行。1938 年，營林所決定擴大林產區域，除原本佳保臺伐木區之外，將採伐基地移轉至十文溪新八仙山（簡稱新山，標高 2,700 公尺）伐木，再增設十文溪第一索道、第二索道、馬崙索道以因克服斜坡運材。赴新山工作之員工，在海拔 800 公尺佳保臺分場，需再搭乘攀爬急陡山坡之伏地索道纜車，爬升至 1,500 公尺之新山山頭，再接山中的馬崙線、十文溪線、上部線三條鐵道支線，深入林場各個工作區。

戰鬥林業

中日戰爭爆發以後，軍用物資需求日甚，1939 年 7 月，興亞工業株式會社於臺中州豐原街設立，資本額 18 萬圓，利用八仙山所產雜木生產軍需用品，以完成工業報國的使命。太平洋戰爭爆發以後，油料禁運讓日本陷入有機器無動力的困境，三和興商行成功利用三大林場的檜木萃取檜油作為自動車代用燃料。

1942 年 9 月 1 日，日本政府出資 1500 萬圓成立臺灣拓殖

株式會社，其中包括斫伐事業三大林場的斫伐權，以及嘉義、豐原、羅東各出張所所有工場、軌道、其他工作物、物品等1120 萬圓，除營林所造林事業以外，其他悉由臺拓移管，開始戰鬥林業的時代。

1943 年 4 月 15 日，總督府豐岡山林課長赴八仙山視察，發現由於缺乏油料，機械根本無法運作，只能獎勵勞務者克服資材不足的問題，努力增產報國。結果當年八仙山林木生產達43,790m³，自八仙山「開山」以來產量最高者。由於戰爭禁止內地木材移入，逼得臺灣林木得自給自足。但由於生產設備人手困難、維修不易，最後採取木材責任生產政策（分配生產額度），以確保達到預期產量。甚至組密林勇士「樵部隊」、林業戰士「米英擊滅的斧人」深入密林以徒手斧鉞伐木，意氣凜烈，加入增產陣營。以增加林木產量作為製造船艦與軍需品的原料。

1941 年新山設立八仙山國民學校，專供山區日籍林業員工子女就學，另一方面代表的意義卻是八仙山林業從業人員人數的最高峰，因為當時機械因油料與零件不足，必須大量倚靠人力。營林所下的三大林場，所為大東亞共榮圈的要角。當時營林所長就提到：

臺灣林產在此長期建設戰之下的東亞共榮圈，所負的責任愈來愈大，尤其是臺灣營林所所管的阿里山、太平山、八仙山所負的責任更加重大。

本書在整理日治時期八仙山林業發展狀況時，原本以為總督府檔案公文留存甚多，卻發現所存無幾，還好日日新報的內容，彌補官方史料不足的部分，正感到納悶，卻從戰後省政府檔案找到答案。「臺灣光復」以後，省政府陸續收到所屬各單位「日據」時期交接文書，唯獨八仙山林場付之闕如，省府不斷催促呈送，卻一直沒有下文。直到 1957 年 7 月，時任林產管理局局長陶玉田才呈文坦承：

> 民國 35 年，（八仙山林場）所有文件分為銷燬、保存兩類彙堆倉庫，當時為期廢物利用將銷燬文件售予翁子造紙工廠充原料，不料被搬運工人連同保存文件混合搬走，致無日人交卷存儲至接收日人之財產物料等……。

戰後的餘暉

1945 年 10 月 25 日上午 10 點，臺灣統治者再度易幟。日本軍臺灣地區的受降典禮假臺北公會堂（今中山堂）舉行。陳儀代表中國接受日方安藤利吉將軍降書。同日，臺灣省行政長官公署正式運作，機關處所設於原臺北市役所（今行政院院址）。

接收專員康健時

八仙山林場由行政長官公署農林處林務局負責接收事宜，

成立「臺灣省拓殖株式會社接收委員會林業部」，由康健時出任豐原出張所接收負責人，與留任的豐原出張所川口秀雄共同辦理交接事宜，時間長達一年有餘，等同於八仙山戰後首任場長，在任兩年建樹宏偉。戰後八仙山得以馬上投入生產行列，當然與康場長有關，八仙山的歷史不該忘了這個人。

康健時就任豐原出張所接收負責人半個月後，每週撰寫工作報告上呈委員會，內容鉅細靡遺，除了交待接收物資、需求物品之外，大部分都在為留職員工謀取福利，可以看出他在戰後為穩定人心，恢復林業生產所下的苦心。接任之初，他就為八仙山購買組合（員工福利社）向拓殖會社申請公費補貼，文中提到：

官公署成立農林處林務局，由第一組接管原臺拓林業部所轄三大伐木出張所，康健時任八仙山伐木林場接收監理員，與日籍場長辦理交接事宜，等同於戰後第一任八仙山林場場長。11 月 15 日，日籍員工全部遣返，八仙山新印信正式啟用。他在 1947 年 11 月 1 日，離職奉派省政府農林處產理局作業組利用課課長，1949 年 1 月 20 日於農林處林產管理局技正任內，再度因病辭職，留下令人難忘的身影。

八仙山購買組合供需八仙山事業從業人員之日常生活物

曾任臺灣總督府理事官的戰後八仙山第一任場長康健時（1945 年 11 月 -1947 年 11 月），以及撰寫的預算書公文。（郭双富／提供）

資，原本就不是以營利為目的，在日本時代就常以公費補貼，故在34年（1945）9月結算虧損三萬圓，請會社（拓殖會社接收委員會）協助，到目前還沒有下文⋯⋯。

拓殖會社接收委員會後來回文拒絕是項要求，請康「**藉由會員增加股本彌補，而不可以全藉會社融通辦理**」。後來他利用林班廢材充作員工福利金；撥售佳保臺、土牛段轉落木材與八仙山消費合作社等手段來謀取員工福利，其用心可見一斑。由於場區米糧不足，完成清算時僅餘 25,569 斤，他與臺灣中華公司簽訂「白米換木」合約，以穩定場區糧食供給。

他一方面著手擬定〈公傷病辦理規程〉，讓正式員工得以安心工作；另一方面為功程員（日本時代以工作進程計價之臨時工人）爭取福利，擬定〈功程給員工（包辦公）改廢採用手續〉，所呈文書中提到：

現在伐木集材等之功程員工皆另有設假定日給採用為乙種傭工。此係日人經營時代對此種包用工，若無採用為事業員而負傷時，受法令之制限，不得以官費治療，不得已加入同濟會處理事宜，現同濟會既廢止，而公傷治療之事，以另定之工作人員公傷病辦理規程處理，將可免去包工之採用手續，而以組頭聲請承認制度代之，如有負傷時，仍依從業員工資辦理。

他拔擢臺籍劉來山任新山分場長、劉德福任土牛工作站長，這是臺籍員工出任八仙山要職的開始。從 1946 年 4 月 14 日開始，他每週固定撰寫工作報告至林場交接完畢為止，第一週報告成為日後八仙山可以持續投入林木生產的關鍵，這一週八仙山已出材 225 石（22.5m³）有餘，雖然其中有連續三天因索道修理沒有出材，但他仍期勉場站人員，以每週出材 800 石（80m³）為目標，藉以作為爭取林場維護經費的籌碼，到底當時八仙山林場有多「破敗」呢？他在報告內寫到：

1. 鐵索：鐵索是本事業之生命，索道及集材用之索道現已無庫存。

2. 機關車：接收機關車 24 輛，但車體太舊，而堪用者只有 9 機，暫得使用，但維修鎔接用酸素缺乏，以致出運材停頓，影響木材生產，必須立即購置。

3. 木炭：機關車用焦炭、木炭依現存量暫可維持，鑑於日後機關車對木炭需求，雜木原本由民眾請願承包採伐政策暫時。自 17 日由臺中山林管理所派員入山實施調查。

4. 日人留用：為將來砍伐計畫起見，留用日人川口技手外四名及省人擔當者合同計畫，正著手調查中。

在交通建設上，他為了八仙山林木順利出材，主動爭取由林務局函請交通處將豐原至土牛段鐵路交由林務局接收，其間北上數次，代表林務局與交通部鐵路管理委員會協調。除了八仙山戰後復原工作，他也同時關注地方基礎建設的復原。由於

東勢橋樑「木折斷、腐朽甚夥，非常危險」，東勢區公署預估修繕二百公尺經費約十萬元，向汽車、木材業者募款壹萬圓，擬向豐原出張所勸募壹萬圓。他以接收專員的名義與留任林業部豐原出張所日籍所長川口秀雄共同具名，以「東勢橋修繕寄附金仰祈核准由」呈文林業部：「本所目前對於社會事業均有捐助之前例，應捐支新臺幣五千元，是否有當理合？」

他還為了八仙山營運收入損上第三飛機製造廠。當時空軍總司令部以第三飛機製造廠該場修建房舍所需，向八仙山林場購用杉木及檜木各 500 石（50m³），結果林場要不到貨款，他數度行文要求「欠錢還債」，毫不在乎當時軍方的豪強勢力。他任職八仙山林場兩年期間，僅因「父親病篤請假四日」，其餘公文書多與協助員工申請「公傷治療費用」有關。離開林場後，他短暫出任省政府農林處產理局作業組利用課課長，即於 1949 年 1 月 20 日因病辭職，後續發展不得而知。但他所養育的四男三女各有所長，長子康嘉福（安田敏秀）長期旅居日本，為國內知名舞蹈家，曾於 1959 年返國表演芭蕾舞劇天鵝湖等劇作，在臺六年教授芭蕾舞，掀起臺北市學習芭蕾舞的風潮。他真正的身分是齒科醫生，為了不辜負父親的期望，赴日學醫，卻一直難忘芭蕾舞的志業。次子康嘉裕原本繼承父親衣缽，戰後一度任職臺北山林管理所，後因升學請辭，成為臺灣早期電力專家，其所撰《配電學》一直是臺灣電力公司訓練所教材。其餘子女各有所成，無法一一贅述。

1947 年 10 月，聯合國善後救濟總署林業顧問藍高梓

（G.W.Nunn）奉派來臺考查林業，由康健時場長陪同視察八仙山林場，藍高梓返美前建議因應戰爭局勢，建議規劃開發現有林場新伐區、新路線，以擴充材源。省政府決定開發大雪山等原始森林，以延續八仙山林場之原木生產，隨後康健時亦從八仙山林場任內離職，改由孟傳樓接任僅兩個月，突奉令轉調本局。1948年9月孫振東接任，國難當前，也是林場多災多難的時代。

國難當前，林場遭殃

　　1948年起，大陸風雨飄搖，9月實施的金圓券在同年底終告失敗，造成中國國民黨統治區內急速通貨膨脹，經濟情勢更加混亂，剛回歸祖國懷抱的臺灣同受牽連。八仙山林場自9月分就未曾發放薪資，員工靠借貸過日，12月起軍公教調薪百分之百，並准予發放半個月分，但八仙山林場員工，卻無法享受新待遇恩惠，當時媒體報導：「在這種情況之下，要他們廉潔、努力工作，似乎是一種苛求。」八仙山林場員工還來不及爭取福利，就發生林場火災，前後延燒半個月。12月1日在十文溪及馬崙上部線附近發生大火，火勢非常猛烈，媒體形容為「本省林業史未曾有之空前大火災，損失在九十億以上。」。

　　風波還沒有平息，就在林場忙著災後重建的同時。翌年（1949年）初，一封媒體的讀者投書〈八仙山林場盼當局改善〉讓這位來自河北的林業人孫振東丟了官位，這位讀者的指控非常嚴厲：

八仙山林場為本省三大林業機關之一，各種設施極為完善，惟自孫振東場長接任後……，一切重要場務從……等人操縱，致場務日非，出材日減，……

投書指出林場問題包括：「賞罰不公、虛報工役、私吞配米、場長貪污……」真相如何我們不得而知，1 月 20 日孫振東辭去林場場長。繼任的魏秉俊場長才上任沒多久，植樹節前夕大火又燒了起來，火勢熾烈，房屋十餘棟大部遭焚毀，不到三個月，林場場長又換人。這一次媒體也火大了，直接用〈社論——不是砍光就是燒光〉把矛頭指向省政府農林處林產管理局長梁功誠：

梁功誠接任局長以來，該局的森林火災無可計數，這次八仙山的大火（比去年 12 月 1 日）更慘酷，該場所屬新山分場，3 月 10 日在十文溪第二索間支柱下方起火，延燒該分局員工宿舍，倉庫內的器材全部燒毀，工人的私有財產一切都燒光，無家可住、無衣可換的人數百名，情景悽慘，生產運輸最重要的索道被燒毀二座，森林暨施設燒毀莫大（至該林場的致命搶修工程目一個年不可）……。

最後社論提到：

關於本省理森林問題，從光復迄今，無時無不爭權奪利，所以林務機構糟到無可再糟，管理森林不能一元化，這是臺灣森林管理最大的缺點之因。

林場復興

1949 年 9 月，國軍在中國節節敗退，向福建、廣東沿海省分「轉進」，有一支名為「八仙山增產復興工作隊」的團隊向山區開拔，這是 4 月新上任的李樹滋場長所籌組。所謂增產復興工作隊係由林場貯木、製材及山地員工組成，一共八十名。主要工作包括採運班（佳保臺線 42、43 林班）、集材班（馬崙線 1 號集材）、護林班（山地各項設施），這支臨時性的工作隊將執行任務至索道復舊工作完竣為止。其待遇從優，除固定薪俸之外，並撥給山地服務津貼，至於宿舍、米糧都由林場福利社負責籌辦。可以看出李樹滋場長「力圖事業發展，顧及員工福利」的決心。年底索道重建完成，林場恢復生產百立方公尺林木，十個月後，李場長去職，由臺籍人士鐘毓接任，媒體特別報導：「鐘毓為本省高雄人，林業專門人員，曾任西康省模範林場場長，及本省新竹山林管理所所長等職。」風風雨雨的林場人事動態，總算隨著國府全面撤退來臺而底定。翌年（1950 年）4 月分出材量 2,200 餘立方公尺，打破光復後最高出材紀錄。

老牛拖車

八仙山林場自日本時代「建軍」以來，機器老舊，鐘毓場長重新清點基礎設備，除了森林鐵路（92 公里），包括大甲馬崙線、十文溪線、馬崙上部線、十文溪上部線、佳保溪線尚可運作之外，架空索道四段，現僅能使用三段，全長 4,567 公尺。斜面鐵路三段，現僅能使用 1,885 公尺，集材機 8 部，現僅能使用 4 部。另外，製材工廠兩所、修理工廠一所，所有設施都是日本時代所移交，或已逾齡或已破舊，依其效能根本不能配合整個計畫。然而，半年來全體員工分工合作，總算出材量突破紀錄。繼任的邱文球場長也不斷上報「工廠設備老舊、各項機器零件久未添補，時常影響工作之進行。」1952 年 3 月，鍾毓再度回任場長，八仙山來了一位貴賓。

神祕的訪客

1952 年 9 月 23 日，媒體報導一則消息：「上午九點，行政院長陳誠由臺灣省林產局長皮作瓊陪同下赴新山視察林木砍伐生產情形……。」事實上，陳誠當時病體欠安，已請假三個月，病體欠安，可能很難爬到八仙山證實自己身體健康。那麼是否真有一位貴賓到訪呢？當然有，這個人不是別人，正是「復行視事」不久的蔣介石總統。國府來臺之初（1947 年至 1950 年間），媒體上一切關於蔣介石的消息幾乎全部封鎖，筆者曾經訪問一位當時蔣介石的貼心侍衛（隨從官）陳又霖先生即提

到：「蔣總統剛來臺的行蹤成謎，連我們都是在前幾分鐘才被告知行動流程。」總統府以陳誠作為替身，一方面為穩定民心，另一方面則為十月即將登場的中國國民黨七全大會暖身，當時陳誠是蔣介石的心腹，其地位甚至高於蔣經國。不久，中國國民黨第七屆中央委員會舉行第一次全體大會，通過「中央委員會組織大綱」，選舉陳誠等十人為中央常務委員。再看一次媒體的報導：「陳院長經三個月休養，政功漸見康復，現紅光滿面，精神奕奕，廿三日下午仍返谷關暫住，短期內將銷假視事。」蔣總統為支持愛將確實用心良苦。

風雨飄搖

八仙山隨著臺海局勢也風雨不斷，八仙山盜林案（1953年6月），東榮木材行盜林案（1954年2月），真相紛紛擾擾，但「巨檜洗劫殆盡，損失難以估計」卻是事實。接著又發生機關車相撞事故（1954年12月）、林班大火（1955年2月）等，幾乎年年都有事故發生。儘管1954年、1959年都有林材產量突破歷年生產紀錄的報導，但似乎再也挽不回曾有的風光。1958年，有兩件事影響八仙山林業經濟的發展，其一是臺灣省政府公布了〈臺灣林業政策及經營方針〉，第21條指示「應積極發展森林遊樂事業」。其二是臺灣大雪山林業股份有限公司（簡稱大雪山林業公司）成立，由省政府以合資方式募股投資。自此，八仙山日漸轉型，歷史的舞臺由大雪山接手，

但臺灣林業再也找不到旭日。翌年（1959年），八七水災造成佳保臺經久良栖至豐原間八仙山林業鐵路軌道毀壞嚴重；10月，林務局決定開闢運材新線，由久良栖架橋連接橫貫公路，利用貨車運出。儘管臺中縣民不斷要求修復運久良栖至豐原運材鐵路，尤其新社鄉福興、中和、慶西等村，人行及貨運素以八仙山林場道路維持，所以該鐵道被視為新社鄉山地村的唯一命脈，縣長廖春輝也為此向省府陳情，但林場回應：

　　該場久良栖至豐原線運材鐵路，為方便沿線少數住民，以前曾辦理零星貨客運業務。頃因久良栖至豐原公路暢通。加以豐東鐵路開通，故該運材線之客貨運輸等，幾等於零。況且八七水災後，該運材線之橋樑路基破壞甚多，其所需維修經費甚鉅，為節省運材費用，並期加速出材計，乃決定改為公路運材，該鐵道線業已奉令拆除。

　　1960年初，林場著手進行公路運材計劃，著手興建久良栖運材站銜接橫貫公路路基，以及跨越大甲溪公路橋樑一座，總公程費用百萬餘元。7月15日，久良栖長青橋落成通車，典禮由大甲林區管理處長丘樹森主持，省政府農林廳長金陽鎬主持剪綵，揭開林木公路運輸的新里程。從此，林場運材業務可由佳保臺直接下久良栖運材站，即由卡車運送，假道橫貫公路而下，節省許多時間與運費。只是這段時間只有三年多，由於八仙山林場林木資源日益減少、伐木區影響日月潭上游集水區

水源、以及大雪山林場開發的替代性，1964 年，「八仙山林場」直營伐木事業正式終止，留下林場人錯愕的神情。

第四章 Chapter 4

【交通篇】
順路：點點滴滴的回憶

五分車為什麼會停駛呢？主要是公路客運發達了，公路運輸效率快又省時，搬運地點到目的都很方便；五分車效率差，搬運的地點及時間又受限制，再加上八仙山的樹也停產了，鐵路只好停駛，這是時代進步下，自然淘汰的結果……。

——石岡人劉第興，2009 年 3 月 25 日

　　「土牛」是一個歷史地名，1761 年，彰化縣令將這裡設為漢蕃界線，傳說社寮角「沙連墩」是生蕃用漢人的鮮血染紅大甲溪水的「殺人墩」。後來的故事大家都知道，滿清政府視為「化外之民」的生蕃，被日人安頓到「永久善良栖息」的「久良栖」——松鶴部落。兩地距離 30 公里，只是土牛走得慢，這一趟往山裡的路走了一百多年。1915 年 2 月，一條路寬約 7 至 11 公尺不等的大路從東勢開到久良栖，日人誇大的說連婦人牽著小孩都可以平緩的走在上頭，當然土牛人無福享用，這

和盛營林所宿舍場區現況。（管雅菁／攝）

條路是為了運送八仙山林場器材而設。倒是地方多了一座大水池，日人稱為土牛貯木場，故事就在和盛里的營林巷，錯落其間的日式房舍和一旁荒涼的景象看起來很不協調。為解決林木運輸的問題，八仙山森林鐵路以各種面目問世，這些原本為甘蔗、林木機械化運輸而準備的設施，「順路」成為地方民眾的交通工具，也留下回憶的點點滴滴。只是這些回憶隨著老人家的凋零而消逝，還好十年前我們寫下了一些歷史。

土牛貯材所

　　土牛庄由於大甲溪轉折曲道，由於地理位置、交通的便捷與產業（糖業、林業、煙草）的發達，讓八仙山林業開展之初，即以此作為貯材池所在地。早在一百年前（1917 年），臺灣各地就興起各種類型的「軌道建設」，八仙山也不例外。受地形的影響，八仙山吸取阿里山開發的成本與經驗，採取多元化的

土牛陸上貯木場。（資料來源：《八仙山林場史話》）

軌道運輸系統，林業鐵路形式的變化多端成為它最大的特色。林業人對多樣化的運材機械有各種專業用語，但山城老人家慣稱「八仙山森林鐵路」。這一段森鐵全長110公里，石岡人以土牛貯材場作為分界線，從貯木池和盛車站到久良栖稱為「機關車」；和盛車站通往豐原的則稱為「五分車」。隨著林場開發，山城民眾參與這偉大的軌道建設，或者成為林業從業人員，或者衍生鐵道工班、站務人員、鐵道司機、修理工廠員工，隨之形成的員工聚落帶來市集與雜貨店……，八仙山林場的開發與軌道建設息息相關，而山城人就是這段歷史的見證。

輕便鐵道的設立

　　1895年日軍接收臺灣時，在各地廣鋪輕便軌道作為軍事運輸工具的軍用輕軌，隨著日本殖民政府大致底定之後，軍用軌道慢慢地不只是軍方使用，只要不妨礙軍需也開放給民眾使用。這樣的運輸方式在後來漸漸成為民眾便利的一種交通習慣。1908年，軍用輕軌任務隨著鐵道縱貫線完工而慢慢結束之後，引起私設輕軌公司在臺灣承繼運輸任務的興趣。拜交通節點的便利性，大正年間土牛庄產業日漸蓬勃，從新社、東勢物產出運葫蘆墩（豐原），土牛是其中重要的轉運站。在陸上交通還沒有普及以前，大甲溪河運一直扮演貨運往來的重要角色，如果非得陸運，則牛車是最佳的選擇。1911年7月葫蘆墩至東勢角輕便鐵道正式營運，初期民眾搬運貨物的習慣仍以牛

車為主，導致營運狀況不佳，但接連幾年就不斷延長路線，往西從社口沿神岡、牛罵頭（清水）陸續開通。1916 年 11 月 15 日，葫蘆墩輕鐵會社營運成績為全島之首，接收原東洋株式會社土牛至水底寮五哩路線，擴大營運路線。

新式產業的開展

　　1912 年 3 月 16 日，土牛川瀨製糖場在土牛設廠作業，隔年為土牛赤糖株式會社收購，新植蔗園面積 165 甲，一個月可生產 4,000 包蔗糖，奠定糖業生產的基礎。結果隔年因山邊降雨少，蔗莖發育不良，損失約五千圓。爾後，產量也一直不如預期，1915 年原本預訂生產兩千擔，製造額只有一半。終於被東洋製糖株式會社所合併，歸月眉製糖所管轄經營。結果 1917 年 4 月 3 日凌晨四點，因蔗粕引發大火，整個工場付之一炬，合計損失兩千八百圓，10 月才恢復重新啟用，爾後產量日趨穩定，漸入佳境。

　　東勢角製糖株式會社設立於 1909 年 10 月，資金四萬圓，其中一萬圓投入蕃地林業生產之申請，成績斐然，一年收入高達三萬圓。似乎看準這裡交通的便利與未來發展的潛力。1912 年 6 月東勢角物產會增資四萬圓成立土牛庄事務所，向官方申請森林原野主產物、副產物的採伐、製造與買賣。1913 年底，臺中廳大肆張揚本年度煙草產量與品質優於全國的消息。因為氣候與土壤的關係，過去煙草品質以南投廳最佳；這次臺中廳

能有如此佳績，代表基因適應和調製技術進步的結果。臺中山區 13 庄種植煙草共 225 人，其中又以朴仔口、土牛、永居湖質量最好。為產業發展，總督府同時鼓勵各製糖會社布設運糖專用鐵道，另外可作為客貨運輸之用。

小型水力發電廠

1917 年 6 月，隨著一次大戰漸入尾聲，日本經濟隨之好轉，為了趕上歐陸現代化的腳步，臺灣總督府在臺灣積極發展電力事業。臺中為發展工業，電力佈置為全臺之冠，除了四大河川的調查利用計畫，也進行小水力的埤圳圳路發電的可行性評估，最後決定在八寶圳土牛庄取水口至葫蘆墩間設立發電所，以八百馬力以上之發電機組進行電力供應，1921 年 9 月，這座圳路發電廠完成測試，開始運轉，即今日社寮角發電廠。

社寮角發電廠。
（管雅菁／攝）

產業物流中心

　　大正末期，土牛成為山城物產輸出重要的物流中心，中部青果物移出同業組合在全國共有七個青果物檢查所，分為位於臺中、員林、葫蘆墩、田中央、二八水、土牛和基隆，其轉運節點之重要性可想而知。由於東勢角物產會社和土牛製糖工廠讓整個東勢角的發展為之一新，官方允許在造林事業地種植芭蕉，獎勵甘蔗、蜜柑及桃李等果樹栽種，隨著蓄地平地而來的製腦事業蒸蒸日上，媒體形容：「連深山幽谷都可見炊煙裊裊的景象。」1917 年自土牛輕鐵運出的芎蕉臺車數達高 12,456 臺，合計 112,943 籠，7,323,295 斤，收入金額高達 219,698 圓。1918 年 5 月，中部果物市場落腳於土牛，成為南北商販往來重要的據點。

　　就在土牛基礎設施完善的基礎下，1916 年 3 月，第一批從久良栖順大甲溪流而下的高級檜木進到土牛貯木場，引起民眾一陣歡呼。葫蘆墩輕鐵為了迎接這一批嬌客，在月初即將鐵道鋪設延長至貯材所，每日由兩臺臺車負責往來於土牛至葫蘆墩驛接運，這是石岡與林場淵源的開始。現在的石岡和盛里（上土牛）營林巷內，當地民眾稱這一帶為貯木場、杉木堀等稱呼，這樣的歷史名稱至今已流傳一百年。

輕便鐵路五分車

　　1918 年 5 月，臺中葫蘆墩、牛罵頭、員林三大輕便鐵道

會社，因各自獨力經營，運輸交通尚缺統一，經各社股東同意之後解散，以一百萬圓資本金增資臺中輕鐵株式會社。6月接手經營葫蘆墩（豐原）至土牛之輕便鐵道。1922年3月，日本眾議院通過〈臺灣私鐵補助案〉，掀起全島輕便鐵路改建風潮，其中包括豐原至土牛間營業線。1924年8月23日，「臺中輕鐵株式會社」私營鐵路五分車，開始辦理定期客貨運輸，全線13.1公里，沿線設有：豐原，翁子、半張、朴子、埤頭、石岡、九房厝、社寮角、林厝、梅子、學校裏、土牛、貯木場（和盛）等13個車站。

　　從此，山城民眾常常跟著八仙山林場巨木和一車車的甘蔗駛向熱鬧的都市，尋找自己的夢想，當然，山城人也成了會社最好的員工。

五分車車站表及時刻表。

臺中輕鐵

臺中州豐原郡豐原町
豐原‧貯木場間　（非連帶）

動力　蒸氣 瓦斯倫
軌間　.762米

驛	讀音	哩程	豐原起	貯木場起	所在地	開業日期	備註
（豐原）	さよはら	.0	.0	13.1	臺中州豐原郡豐原街	大正13. 8.23	臺中線
翁子	わうし	1.7	1.7	11.4	同 同 同 翁子	大正13. 8.23	
半張	はんちやう	1.0	2.7	10.4	同 同 同 同	昭和 8. 3.24	
朴子	ぼくし	1.0	3.7	9.4	同 同 同 朴子口	大正13. 8.23	
埤頭	ひぞう	1.4	5.1	8.0	同 同 同 埤頭	昭和 2. 7. 9	
石岡	いしをか	1.7	6.8	6.3	同 東勢郡石岡庄石岡	大正13. 8.23	
九房厝	くばうせき	.6	7.4	5.7	同 同 同	昭和 8. 3.24	
社寮角	しやれうかく	1.0	8.4	4.7	同 同 同 社寮角	大正13. 8.23	
林厝	りんせき	.5	8.9	4.2	同 同 同 同	昭和 8. 3.24	
梅子	ばいし	.9	9.8	3.3	同 同 同 同	大正13. 8.23	
學校裏	がくかううら	.6	10.4	2.7	同 同 同 土牛	昭和 8. 3.24	
土牛	ざぎゆう	1.3	11.7	1.4	同 同 同 同	大正13. 8.23	
貯木場	ちよほくじやう	1.4	13.1	.0	同 同 同	大正13. 8.23	

驛手的回憶

劉第興是石岡客家人，1923 年出生，身為家中獨子，他勢必得留在家鄉謀職，會社提供他最好的工作機會。17 歲（1940 年）進入「臺中輕鐵株式會社」工作，他提到當時公司用人的條件：

臺中輕鐵株式會社是私人鐵路公司，老闆是一位日本人，當時地方上的人要進去工作可不容易，必須透過地方上有名望的人引薦才有機會。我就是在劉屋族親劉清溪及詹光水先生的介紹下才有機會進去工作。

劉第興提到的日本老闆是指社長坂本素魯哉，彰化銀行董事長，並擔任臺中輕鐵、臺灣果物、海南製粉、臺灣製麻、新竹製糖、臺灣製鹽等諸多企業董事。他還提到日本人講求信用，進入公司或機關工作都要透過中人引薦，介紹人也必須是一位「有信用」人。除此之外，基本學歷是必須的，土牛公學校畢業後，再到東勢公學校就讀高等科兩年，這些都是會社錄用人才的基本條件。他工作的任務是土牛車站驛手（站務人員），主要負責乘客收票、車站及客車廂的清潔，同時要兼顧五分車到站時的乘客安全事項。他提到當時列車往返的情形：

五分車的第一班列車約 6 點多從土牛開往豐原，一次車廂

五分車

明治 40 年（1907 年）臺灣製糖株式會社於橋仔頭糖廠鋪設了臺灣第一條糖業鐵路，明治 42 年（1909 年）同樣屬於臺灣製糖株式會社的新營至鹽水之鐵道，開始辦理載客營運，使得糖鐵與民眾之間產生直接連接。臺灣的 762mm 軌距系統大約是在明治 28 年（1895 年）日本政府接收臺灣之後才誕生，而採用的緣由最早是為了快速興築、輕便拆裝、小量搬運等等軍事統治要素而起，隨後私營軌道以及日後的產業鐵道因應輕便與成本的特性而沿用相同軌距。大正元年（1912 年）以後的林業鐵路也同樣採用 762mm 的軌距，除了產業輕便、成本因素之外，在面對崎嶇難行的山坡地勢，小軌距的系統相對上也較為方便與可能。然而，762mm 軌距的火車一般俗稱為五分車，但也因為糖鐵與人民生活連結最為直接的關係，常常會把五分車當作是糖鐵的專屬名詞，而有著這可愛、親切的稱呼。

有 6～10 節不等，車程約一小時到豐原五分車車站（今豐原火車站後方停車站）。如果是載木頭的列車，就繼續沿著五分鐵軌道運送到貯木池存放（今臺中市政府陽明大樓），只有一級木的針葉木，例如檜木之類才必須放在水池裡出油，二級木及闊葉樹就不需要浸水了。

提到待遇，劉第興驕傲的說當時的巡查（警察）一個月薪水也才 12 元而已，在五分車工作一個月薪水有 9～15 元，也難怪當時有那麼多山城人爭相進入輕鐵會社工作。我們可以從訪談的神情中，看出他對這一份工作的熱愛，他甚至可以清楚的說出當時 12 個鐵路平交道的位置：

第 1 個崁子下（和盛）到土牛、第 2 個土牛站出發經過現在的和盛街（往新社 129 縣道）路口、第 3 個文慶公伙房（德興里立旺超市旁）過豐勢路口、第 4 個土牛國小後方、第 5 個朱屋梅子車站、第 6 個社寮角車站、第 7 個九房屋、第 8 個石岡、第 9 個朴子、第 10 個半張、第 11 個翁子、第 12 個豐原……。

至於土牛車站當時日本時代的景象如何呢？想著想著似乎落入深深的回憶裡，他說：

土牛車站當時很熱鬧，車站旁有雜貨店，還開了酒家，只

是時間不長，土牛街上有戲院、市場、旅館、香蕉集配場，三、五天就有露臺戲演出，熱鬧程度真的不會輸給葫蘆墩（豐原）。當時東勢、新社的人要外出都得到土牛來搭五分車，東勢大橋還沒有蓋好，往返是利用流籠或臨時搭建的木橋，大甲溪的水很大，東勢人還得看天候才能到土牛來搭車，交通非常不方便。

一如前述大正年間以後，土牛是新式產業開展的中心，也是地方物資的集散地，現在遊客在豐原與東勢間匆匆來去，很難想像當時繁華的景象。

列車長的回憶

相對於劉第興從石岡看著五分車駛往豐原，1922 年出生於豐原的廖玉樹，從豐原公學校畢業以後，18 歲（1940 年）進入「臺中輕鐵株式會社」工作。一開始在熱鬧的豐原五分驛擔任驛夫，從基層站務員做起，他說當時驛長和上司都是日本人，要求特別嚴格，早上 4 點就要起床，將豐原車站打理過才

2010 年 11 月 25 日發行的社區報「石岡人」有「八仙山森林鐵路的老車長廖玉樹先生」的採訪報導。

開始工作，就靠著這樣的磨練和認真負責的態度，他被提拔為列車長，等於是上司對他能力和態度的肯定。他提到擔任列車長的工作甘苦說：

五分車的乘客以外地人或通勤學生居多，在地人都用走路，走五分仔路。五分車走很慢，鐵道上走動的人看到火車來，還遊刃有餘似的慢慢閃開，甚至給跑火車追，司機只好鳴笛趕人。

對這樣的情況，那時他是生氣卻又不禁擔心這些人的安全，現在看來，這種被火車追著跑的場面大概已成絕景。

1910 年出生的劉發湧先生也曾在臺中輕鐵株式會社擔任

民國 37 年 6 月 22 日劉發湧任和盛站車長時的八仙山林場充任令（劉裕奎／提供）

和盛站車長職務，可惜訪談時他已過世。他的兒子劉裕奎拿著父親的派令與公文，細數父親過往的種種，國民政府來臺之初，民國 37 年 6 月，他的薪俸是 65 元，在那一個艱困的年代，當時緊接而來的通貨膨脹，這群守著工作崗位的站務人員肯定不好受。

另一位和盛站前輩站長劉德福先生也是石岡客家人，他的兒子劉奕丕出生於 1937 年，從小就住在和盛里營林巷的林場宿舍，他回憶當時父親擔任的工作與職務：

我的父親劉德福為八仙山森林鐵路和盛站的站長，負責站務工作，所以居住的是站長宿舍，和盛站的宿舍為檜木所搭建的。當時，和盛還有一個部門是修理場，由一位主任負責廠務工作。和盛站為轉運八仙山的機關車與平地五分車的中繼站，山上的木材載下來之後，都在和盛站進行轉運的動作。大家習慣稱和盛到豐原站的鐵路為五分車鐵路；而和盛站到佳保臺這一段森林鐵路為機關車。

五分列車的人生

父親在和盛站當站長，劉亦丕幾乎是伴著五分車而成長，或者說五分車一直看著他的人生起伏與變化。劉奕丕說童年最有趣的當然是抽甘蔗：

東勢很多人在乾旱期種植甘蔗，會利用臨時鋪設的輕便軌

【左上】抬著迎娶花轎走
到石岡車站。
【右上】將迎娶花轎抬
到五分車上。
【左下】和盛車站站長宿
舍前與新婚妻合影。
【左下】回娘家搭乘摩達
卡。
（劉奕丕／提供）

道載甘蔗到集貨場，之後，再經過東勢大橋（以前是吊橋）送到
五分車土牛站集貨，再利用五分車運到外地。我們最喜歡等待載
滿甘蔗的五分車經過，抽一根甘蔗來吃是小時候最大的娛樂。

1957 年劉亦丕先生完成人生大事，新娘子是東勢埤頭山

人，迎娶隊伍浩浩蕩蕩從埤頭山抬著坐花轎的新娘走過長庚（吊）橋，在一行人簇擁下進到石岡車站，把轎子放在五分車的載貨用的平臺上，其他迎娶的人們坐進車廂，就這樣一路搭乘五分車到和盛車站，然後再牽著新娘的手走進站長宿舍，就在這裡度過甜蜜的新婚之夜。劉奕丕先生他們還保有一些當時在和盛車站站長宿舍的生活照、當年結婚時搭五分車及搭摩達卡回娘家的照片，來回憶過去那段生活。

林業鐵路機關車

石岡的和盛里，有一條名為「營林巷」的路名，它是通往昔日土牛貯木場、五分車與機關車轉運的和盛車站的道路，長輩們都稱這一帶為「營林所」，這裡有和盛車站、辦公室、修理工廠、員工宿舍、福利社，後來甚至還有幼稚園，就像是一

和盛營林所修理工廠車站
現況。（管雅菁／攝）

個小型的社區聚落。

輕鐵到機關車

　　1941 年 9 月 1 日，日本政府出資一千五百萬元成立臺灣拓殖株式會社，移撥三大林場經營權，八仙山林場與運材設施一併移撥，同時收購徵用臺中輕鐵所屬土牛至豐原段輕便車鐵路。至此，原本不同機構的工作人員相互流通，也為土牛民眾築起另一座未知的山林夢。原本在臺中輕鐵工作的劉第興就是這樣轉到森鐵機關車工作，他說：

　　　　在臺中輕鐵工作了兩年多之後（1943 年），被青年團派

機關車車頭。（劉壬／
提供）

去高雄左營海軍基地從事開港的工作，沒多久就回到石岡營林所工作，在輕鐵土牛站沿著現今營林巷而上，有一個崁子下營林所，那時戰事吃緊，進入營林所工作就可以不用當兵，我在馬鞍寮的站長劉清溪的介紹下到機關車工作，擔任機關車馬鞍寮的驛手，負責列車的進出站安全及驛內外清潔。

道班工見聞錄

廖見武出生於 1936 年，石岡土牛人，父親是機關車的司機，而且和林場場長交情不錯，19 歲（1955 年）進入八仙山森林鐵路擔任道工班，負責鐵路的維修工作：

道班工一天薪水 8 元，連同其他津貼是月薪 400 元左右。當時我是最年輕的員工，年輕又很敢衝，很多危險的工作都是由我來做，像是在橋上維修鎖螺絲都難不倒我，鎖螺絲當然簡單，但是鐵橋離地面高度往往超過三層樓，非常危險。

八仙山森林鐵路，沿著山勢、跨越溪流興建。在沒有大型重型機具的年代，可以想見在山區興建時的險峻，其困難度及危險性更是令人害怕，翻閱老照片，看到那好幾層樓高的橋樑，更是讚嘆當年的工法技術可以完成這艱難的鐵路興建。鐵道平時需要人員定期維修保養，道班工的工作就是負責鐵路全線的維修養護。因為工作環境如此危險，同事傷亡也是時有所聞。擔任機關車車長的邱榮樹就坦言：「以前人為了養家餬口，常

機關車橋樑落差非常大。（資料來源：《八仙山林場史話》）

常不顧性命，和那些在修理鐵路、坐流籠、拉木馬的人比較，開機關車是安全多了。」

碰碰機關車

　　一般人常常謔稱森林鐵路為碰碰車，其車廂相撞的巨大的聲響常讓人膽顫心驚。老車長邱榮樹看著八仙山的老照片，指著一張瀑布的照片說：「日本人叫這見返瀧，在久良栖，以前人都會坐機關車來這照相。」就此落入深深的回憶。2009 年，我們拜訪當時高齡 101 歲的邱榮樹老先生，1909 年出生彰化員林的他，讓我們重回時光隧道，探索日本時代一位機關車的養成與工作點滴，他說：

　　我在員林永靖公學校畢業以後，就到寶斗郡製糖會社工作一段時間，1938 年，公司派我們到大阪訓練取得五分車司機駕照，回到臺灣以後，我透過叔叔介紹，就到八仙山林場擔任機關車司機，同時從員林搬到石岡和盛里的林場宿舍。

2009 年 11 月 25 日出版的石岡人社區報刊載：機關車司機邱榮樹的故事。

八仙山林鐵由於坡度大，事故在所難免。就在邱榮樹擔任司機的五年前（1933 年），林鐵才發生有史以來最大的災難事件，造成乘客 1 人死亡、11 人重傷、1 人輕傷，對於那次的災難事件，一直是司機員掛在嘴上的慘痛教訓，他說：

　　關於八仙山林鐵，出軌翻車的事件不在少數，運氣好只是丟了貨物，運氣差命就沒了。森林鐵路坡度陡、曲度大，穿梭於縱谷懸崖，這樣的路線標準，加上不太可靠的運材設備，司機的駕駛技術，決定列車能否準時平安進站。開機關車，不僅只是顧著往前就好，隨時都要注意臺車上的木頭有沒有鬆脫；減速停車時要與車長、助理司機配合好，否則煞不住……。

　　駕駛機關車看沿途的風景與在路旁看著機關車行駛而過是兩種不同的風情，他回憶自己有一次在新社抽藤坑機關車高架木造橋下釣魚的情景，突然發現自己一直的人生一直處在搖擺的狀態：

　　新社抽藤坑，有一座高架木造橋，高度約三十呎，那是我們機關車必經的路線；有一次，我休假在橋下釣魚，剛好運材列車通過。我看著同事所開的機關車行駛而過，突然看見那木橋激烈的晃動。我以為是木橋有問題，趕緊跑上來檢查，後來才知道木橋搖晃是正常的，我人在車上開車根本沒有感覺，也

不曉得要害怕，其實列車一直都是在搖擺中渡橋的……。

　　同樣從五分車轉到機關車的還有列車長廖玉樹，臺拓時期他調任久良栖擔任機關車列車長。他比較五分車與機關車的差異說：

　　機關車不像五分車有定期的客貨營運，乘客寥寥無幾，搭乘者通常都是在林場工作的人。車長主要的工作更像是要保護木材。首先，必須以電話機在各交會據點做連結，協調要在哪會車，以免列車追撞、對撞；再來就是要配合機頭緊韌、鬆韌來控制速度，這動作看似簡單，但是要在有坡度的情形下，把七節重車煞停，也是費力艱苦的事情，列車交會與加減速就是貨物能否平安到站的關鍵。

順路載人的索道

　　完整的八仙山森林鐵路總長約 110 公里，全線跨經臺中市豐原、石岡、新社、和平、甚至延伸至南投縣境內。若依路線依性質可分林場線（伐木現場至佳保臺）、山地線（佳保臺至和盛）、平地線（和盛至豐原），而林場部分因地形嚴峻，因此配合伏地索道、架空索道（空中纜車），是一條充滿各種運輸載具的鐵道，而這些索道，通常可以順路載人。

【左】架空索道。（資料
來源：《八仙山林場史
話》）
【右】伏地索道。（余
金秋／提供）

索道驚險之旅

　　八仙山林鐵，因為坡度特性與節省成本的考量，採用了另
一種讓車輛登山的方式，興建「傾斜鋼軌索道」，我們稱它為
「伏地索道」。1928年出生的管奕盛，在戰後有一次搭乘伏地
索道的經歷，他說：

　　民國34年（1945年）我在東勢當國小老師，大約民國
36年的時候，我和幾個同事到八仙山旅遊，從東勢搭客運到
久良栖車站轉搭機關車，到了佳保臺，還有貼地上的流籠，流
籠可以到新山，新山到馬崙也有流籠也還有機關車。

　　戰後八仙山一片混亂，一如前述由於康健時所長的努力，
得以讓東勢國小的老師可以上山旅遊，隨之而來的紛紛擾擾，

讓八仙山林場一直處於多事之秋。當然管老師可以上山，還與他在新山擔任架空索道的堂弟安排有關。

　　我的堂弟在新山工作，他是操作架空索道（空中纜車）的工作人員，當年，他結婚的時候，新娘也搭著空中纜車到新山去，那時候搭乘的人都坐在巨大的木材上。有一年，蔣介石總統來八仙山巡視，大家為了他要來巡視，在佳保臺，大約現在八仙山遊樂區的靜海寺那裡，連著幾天趕工，特地開了一個登山步道，打算讓人扛著轎子，讓蔣介石總統乘坐到新山。結果，蔣介石總統到了現場之後說，他要搭空中纜車，大家都非常緊張，而當時操作空中纜車的工作人員就是堂弟，常聽到他談起這件事，記憶還很深刻呢！

　　在八仙山林鐵的林場線裡，面對坡度較大而無法直接鋪設鐵軌給火車運行時，運用鋼索的牽引讓運載木材的車輛緩緩下山。然而，八仙山林場的開發其實在昭和 13 年（1938 年）便因為林木資源的減少需要由舊山轉往新山，進行另一個山頭的林木採伐，因此在連結山頭之間的木材運載就必須運用另一種方式進行，即為「架空索道」，也就是把車輛原由地面行駛改為空中溜索，類似空中纜車的方式來作為運載。因此，在八仙山林鐵，尤其林場線的部分，不只於我們一般認知的鐵軌火車，為了因應地勢與節省施工、用地成本的考量，採用了至少三種不同的運載系統，包括一般的軌道、伏地索道與架空索道。因

為這樣的性質讓八仙山林鐵更顯得特殊，也改變了我們對於鐵路、火車的既定印象。

佳保臺雜貨店

余金秋 1950 年出生於佳保臺，從小跟著開雜貨店的母親來往山上到豐原，他回憶小時候對機關車的回憶，對孩子而言，久良栖到佳保臺的伏地索道還是稱機關車，這是一段刺激而難忘的旅程：

我小時候就住在佳保臺。最恐怖印象的大概就是搭（伏地索道）機關車，機關車快到佳保臺要轉彎的時候，我覺得好像要翻下山谷裡去了，從五歲那時候，恐怖的記憶一直留在腦海直到現在，這就是我小時候坐機關車最深刻的印象。

佳保臺。（資料來源：
《八仙山林場史話》）

余金秋把伏地索道上的交通工具分得很清楚，機關車是載人的，伏地索道是運送木材的，兩者當然不一樣，只是偶爾會有運木材「順路」載人的情景發生：

八仙山林場除了用伏地索道來運送木材，還有流籠，從佳保臺一直到上面山裡頭都可以看到流籠吊木材，覺得好遠好遠……，偶而會出現一臺客車載人，如果沒有客車呢？人就坐在木材上，轟～就順路上去了。

兒時的回憶總是美好的，尤其有媽媽照顧的孩子，儘管是刺激驚恐的生活，卻也能找出那一絲絲甜蜜的時光：

我家在佳保臺做豆腐，雜貨店就開在流籠下面，一段時間就要到豐原批貨。我們從佳保臺坐機關車至和盛，機關車是一節一節的小車廂，車廂裡是面對面的座位。到了和盛再轉客運到豐原。當年我才五歲（1960 年），媽媽出門都會帶著我，午餐的時候，她會點一條泡得很大條的魷魚，我們母子就吃魷魚配豬血湯。那時候物資缺乏，那是我最豐盛的一餐。

余金秋的交通之旅，從和盛到豐原已改為公路運輸，因為他來不及參與那一段五分車抽甘蔗的快樂童年，五分車就被大水沖垮了。

公路興起的年代

　　除了軌道建設，其實日本時代對公路建設也沒有荒廢，1933 年 12 月，土牛、水底寮到大南公路開通；1935 年 11 月東勢卓蘭間道路開通；1937 年 1 月開始，近藤自動車株式會社的汽車就行駛於東勢、土牛、中科、石角間。未幾，土牛到豐原的公路運輸也由近藤自動車株式會社經營，當時的土牛站起點為現在東勢大橋旁，現今豐原客運車庫，也就是現在豐勢路、和盛街的交接處。劉第興先生說：五分車和近藤自動車是當時東勢郡（東勢、石岡、新社、和平等四鄉鎮）的交通大動脈。他說：

　　日本時代從石岡到豐原的交通還是以五分車為主，如果沒有搭到五分車才會去坐巴士，當時的車子比較小，也沒有固定的班次，有人才開車，後來才漸漸有固定的班次。這一條路線的巴士經營，對於東勢、和平、新社、石岡這一帶的人是有很大的貢獻，它解決了這裡四鄉鎮的人們的交通問題。

　　劉奕丕從土牛國小畢業後考上東勢初中。戰後（1953 年）就讀臺中農校，當時的交通工具就是以客運為主了，他說：

　　我讀農校的時候都是搭客運到豐原再轉搭臺鐵到臺中上課。因為，豐原客運班次多，時間也沒像五分車的班次要很早就出門。偶爾想到或好玩時才會改搭五分車到豐原。因為父親在林鐵上班，所以員工及子女搭車不用錢，由於班次少，所以

當時會利用它來上下學的人就沒這麼多了。

1959 年八七水災以後，政府決定裁撤豐原到土牛的五分車鐵路，儘管民眾陳情不斷，仍無法阻止公路發展的替代性，劉奕丕先生回憶小時候的情景：

民國 48 年八七水災之後，因森林鐵路停駛撤除的關係，父親（劉德福）被調到豐原的員工消費合作社當經理，就是現在豐原區東勢林區管理處的辦公大樓，當時，臺灣的三大林場鐵路，阿里山、太平山與八仙山，就屬八仙山最早遭到裁撤。

戰後八仙山林木資源耗盡，政府以大雪山實驗林場替代，八仙山林鐵面臨無材可運的窘境。1959 年 8 月 7 日臺灣發生八七水災，林鐵多處受損，隔年（1960 年）6 月，林務局決定拆除久良栖、豐原間鐵路，林場殘材以卡車經中橫輸出。就這樣，營運 35 年的八仙山林鐵，被迫停駛，隨後八仙山林場也在 1963 年 10 月結束將近半世紀的伐木事業。諷刺的是政府目前正積極推動〈前瞻基礎建設計畫——軌道建設〉，根據 2017年 9 月 26 日的新聞稿：

因應綠色交通運輸之趨勢。各縣市對軌道交通需求不斷增加，而一般公共建設經費不足，使得軌道建設延滯，因此有必要針對未來 30 年發展需求，就全國鐵路網之建置，包括骨幹、

城際、都會內鐵道建設做全面性規劃，以打造臺灣的軌道系統成為友善無縫、具產業機會、安全可靠、悠遊易行、永續營運、以及具有觀光魅力的運輸服務。

突然讓我們回憶一百年前，那個輕便鐵路、糖業五分車、林業機關車……軌道縱橫的年代，老一輩人總懷想他們隨著軌道四處遊玩的年少歲月，而今風光不再。

第五章 Chapter 5

【展望篇】杣人物語

戰後，八仙山伐木事業由大雪山林場取代，軌道運輸轉為機動性高的公路運材，一直到 1974 年，省政府解散大雪山林業公司，併入大雪山示範林區管理處，等同宣示「林業經濟」時代的結束，其後就是林場保育育樂事業的開展。戰後短暫的三十年伐木事業成效如何？一部《八仙山林業史》要談的並不只是八仙山過去的故事，在訪談過程中，我們一直不斷感受到這一群林業相關從業人員的失落。臺灣從林業經濟轉型為山林保育政策，看似符合先進國家的潮流，卻是一整個與林木相關的經濟、教育與文化的流失。林場的伐木工人可以轉型為山林保育員、林木解說員；但沒有了最好的木頭，所有日常生活中與「木器」有關的文化也隨之崩解。杣人物語，我們試圖從這一群現代林業相關人員的訪談中，了解戰後伐木事業的發展，以及臺灣林業未來的可能性。

未見黎明的大雪山林場

1960 年代是戰後臺灣林業經濟最後的黃金時期，隨著八仙山林場直營伐木事業結束，翌年（1964 年）5 月大雪山林業製材廠風光落成，佔地達三公頃，廠房設計完全仿美國西雅圖大型製材廠，採用一貫化的生產流程，從原木進場至分等出場皆在廠內完成，其中包括木材乾燥、防腐的最新技術。只是不過十年的光景，木材廠計畫宣告失敗，大雪山林業因經營困難併入林務局。

林信雄家住東勢，原本擔任大雪山林場檢尺員的工作，我們在第一章已有介紹，他回憶當時大雪山林場成立的背景：

昔日大雪山林場的貯木池，現已成為荷花池。（管雅菁／攝影）

大陸撤退過來以後，在林務局之外，另外成立森林開發處，安置退輔會榮民，主要林場在東部。中部就另外成立大雪山林業公司，跟八仙山有點疊床架屋。一開始大甲溪流域是八仙山林區管理處，南投集集水里是巒大林區管理處，主要以河流兩側來劃分。後來又把大甲溪流域分為南北兩岸，北岸是八仙山林區園區，南岸是大雪山林區管理處。

我們來不及記錄大雪山公司體制時期的歷史，當然這也不是我們這本書主要的目的，但是大雪山林業的歷史，其實是接續八仙山林業經濟的任務，也是八仙山林業史不可或缺的部分。在當時省政府主席周至柔「上山下海」的經濟發展策略下，大雪山林場是「臺灣省森林工業的基礎工程」，開發大雪山的結果與經驗，將使本省整個林業經營，趨向企業化、工業化，為本省林業史創下新的一頁。只是這個「示範林場」的經營績效並不好，從原本保守預估開發的 40 至 70 年林木資源，不過短短十年就結束了。我們透過幾位親身參與的林業人，一起來回顧這段歷史。

公路運輸

1960 年 7 月 15 日，久良栖長青橋落成通車，揭開八仙山林木公路運輸的新里程，同時也正式開展了大雪山林業。從東勢通往大雪山國家森林遊樂區的道路，現在成為民眾最喜歡登高避暑的觀光景點，這條大雪山林道全長 43.6 公里，全部為山地，開闢之初，自 14 公里以上被媒體形容為：「山勢越見複雜，綠溪小徑，樹枝沒頂，陡崖峭壁，青苔滿佈……」，林信雄回憶當時林木公路運輸的過程：

大雪山林場以美國、加拿大伐木方式為師，省政府為此開闢大雪山伐木林道，可供兩截式卡車載運大木，木頭的長度都

在三米六以上，最長可以到五米二。林道十五公里以上由大雪山負責保養維護；十五公里以下由昔時省公路局營運管理，木材從林道直接運送到東勢。

標售作業

　　大雪山林業公司設立之初為半官半民性質，在東勢設有儲木池，放在水池的是一級木，其餘分為一級到五級，木頭有沒有空洞、結疤大小都是分級依據。林信雄回憶當時工作的情形，他說：

昔日的大雪山製材廠。
（資料來源：《大雪山林場史話》）

我後來調到辦公室，從人事、統計和木材標售都要做，木材標售就是一批木材有圓木、製品，你要計算木材的底價，每一至兩個星期都要跟處長一起標售給木材商人，一標就是100枝，由於人事成本太高，大雪山只有賣檜木是賺錢的。

鋸材工廠

1964 年 5 月，大雪山林業公司製材廠落成啟用，這座標榜「全省規模最龐大」、「給本省經濟帶來新希望」的工廠壽命並不長，林業經濟時代的結束，可能是時代與環境使然，但當時在工廠的林信雄告訴我們英、美、加林業大國發展經驗與臺灣「水土不合」的關鍵，他說：

木材加工廠包括乾燥場、防腐工廠、家具工廠、大鋸材廠和小鋸材廠，占地達 3 公頃。大鋸材廠整套機器都由加拿大引進，但是並不適用於臺灣林木，由於臺灣山勢陡峭，長出來的木頭不像歐美是直立型，常有曲彎折拗的現象，大鋸一鋸就銷耗五分，操作的工人心疼不已，根本太過浪費，完全不適合臺灣鋸木業的使用，不久大製材廠就被淘汰了，僅留下小木材廠還在運作。

防腐工廠

大雪山林業也引進在歐美先進國家盛行近三十年的木料乾

燥與防腐技術，乾燥的目的是預防木頭變形，防腐是避免埋在土裡的木頭腐爛，看似可以加速生產流程，卻沒有得到預期的效果。林信雄說：

　　林業公司引進木材乾燥技術屬於實驗性質，接著設立木材防腐廠，我們從英國進口青黑色的防腐劑，這項技術當時國外風行三十年，但在臺灣的使用率並不高。主要原因是防腐材的顏色不好看，再加上所需的時間很長。潮濕的木頭不能做防腐，必須要置放好幾年，等到完全乾燥以後才可以打防腐劑，如果不能等待提早注射，效果就不好。

　　這項實驗性質的計畫，還沒有進入營利階段就宣告失敗。大雪山林業失敗的原因，除了技術原因，當然與時代變遷有

大雪山林業公司製材廠現已成為東勢林業文化園區。（管雅菁／攝影）

關，或許我們應該從最根本的伐木作業，去理解這一甲子的臺灣林業發展史。

戰後初期的伐木工

從日本時代開始，林場的伐木作業就分為直營與標售兩類，尤其是良木針葉樹大都採用直營伐木，這也是整個林場經營最重要的部分，大雪山也屬於直營林場，一直到 1964 年改隸大甲林區管理處，才改採標售作業伐木。這一節我們將由近而遠，帶著讀者從大雪山最後的直營作業開始，再到戰後八仙山林木標售作業的實景，最後再回到日本時代，透過文獻記載去理解從內地到臺島工作的杣人的世界。

直營伐木的最後一瞥

張賜福在 1950 年出生於南投竹山，嘉義農專森林科第二屆畢業。1975 年，他通過考試分發到大雪山示範林區管理處鞍馬山工作站，主要負責伐木作業的規劃，當時大雪山林區剛由省屬林業公司，改隸省政府農林廳林務局，我們來不及記錄八仙山林場第一線伐木作業的流程，但可以從張賜福的經歷來了解這一段臺灣林業史最後「直營伐木」的過程。他說：

兩年前就要先行調查林木狀況，測量、材積。由林管處組成專案調查，結束以後再編伐木計畫書報林務局，逐級再往上呈報到農林廳。核准以後再按照計畫來砍伐，工作站負責伐木

現場的指揮調度與檢尺作業，每一臺卡車裝車以前要檢尺，決定每一輛車可以載運的材積量，再開搬運單給司機載下山來。

至於整個伐木流程有一套完整的制度。當時大雪山林場伐木採「領班制」，也就是由一位資深的工頭帶著大夥一起工作，這樣的制度似乎延續日治時期八仙山由內地聘請「林組」以及「大剖手」的榮譽制度，只是工人的來源與隸屬關係有些許改變。張賜福對於伐木工人的背景與收入狀況有深刻的描述：

在我的那個年代（民國60年代），主要的伐木工人都是來自南投名間一帶，住在松柏嶺、赤水的人居多。幾乎整庄的人都是伐木工人，其中又以閩南人居多，只有一部分是東勢的工頭，但招攬的工人還是以松柏嶺居多。伐木工人的工頭是林管處正式員工，以招募方式而來，最早都是由八仙山或羅東林場轉任到大雪山。其餘伐木工人都是由這位工頭來召集，以按件計酬的方式辦理。林木砍伐下來要先分級，有一級、二級；闊葉樹、針葉樹，每一種樹種的砍伐單價都不同，再按照搬運的材積、樹種、等級來計算工資，除了固定工資，伐木期間，工頭也有額外的獎金可以領取。大部分的工頭負責人都很優秀，整個伐木工班都是親戚朋友，彼此照顧，也比較好管理。

按理說，原本居住於森林裡的原住民應該是伐木工的最好人選，尤其八仙山林場成立之初，第一批放流木就曾經動用當

地泰雅族人義務勞作。幾次訪談以後發現，原住民由於臺灣林業經濟發展之初的「不合作」，從一開始就被日人排斥在外。國民政府來臺以後也不例外，張賜福主任就提到：

當時伐木工人都是四十歲以上，閩、客都有，就是幾乎沒有原住民，可能是生活習慣的問題，也可能是工頭對於原住民工人的不適應。但是每木調查就會召聘原住民臨時工。所謂每木調查就是在伐木之前，要進行這塊林地的面積、材積、測量。林區必須要有一條測量線，清除障礙物的工作都是由原住民的臨時工擔任，由於當地原住民對森林的熟悉與體力上的優勢，這項工作非常適合他們。只是原住民的習慣就是賺多少、花多少，領完工資要等錢花完了以後才要來工作。

我們在八仙山國家森林公園進行田野的同時，恰好遇到大雨將林木橫倒於園區內，這對於八仙山莊遊客的服務品質和安全是很大的威脅，只見幾位體格慓悍的原住民爬上爬下，其中有老有少，很快就將園區內道路恢復暢通，我們訪問其中一位狀似領班的工人，他告訴我們：

我們是外包廠商，某某營造的員工，主要承接國家公園的工作，包括鋪步道、林木修剪……，木頭最怕病蟲害，為了遊客的安全，我們通常在颱風季節前會提早修剪，這棵可能是當時沒有發覺才留到現在，這是楠木沒有價值，砍下來只能放在

一旁任其腐爛，如果是高價值的木頭就要交給林務局處理。

看著這一群原住民忙上忙下，親切的跟我們打招呼，其中
不乏年輕人參與，我很好奇他們從什麼部落來？對於森林的感
覺，對於這一份工作的態度，工頭接著告訴我們：

我們是從苗栗象鼻部落過來的泰雅族原住民，園區工程通
常是陸陸續續的。主要工作在每年三月份到十一月份，其餘的
時間都在家鄉照顧果園。八仙山、鞍馬山、雪見、武陵農場都
可以看到我們的蹤跡，其實這裡大部分山區都是我們泰雅族的
傳統領域。帶著年輕人出來也是一種磨練，這幾年部落很重視
年輕人對傳統領域的認識和文化傳承。

工頭很熱情的訴說他當年成年禮，從馬達拉溪到大安溪一個禮拜的經歷。一次成年禮有十幾個人，只能單獨一個人走在山上，一天一個人慢慢跟著前人的腳步，一個禮拜才回到大安溪自己的部落裡。或許原住民用自己的方式重新走入森林，面臨時代的變遷，看著他們賣力的工作，「如果對未來有希望，誰願意整天醉生夢死？」突然想起松鶴社區發展協會羅理事的話。

久良栖的榮民寮

事實上，我們記錄八仙山林場故事的時間點已經太晚了，老者凋零，往事已矣。幸運的是八仙山森林解說志工團隊幫我們留下一本《八仙山傳奇軼事》，裡頭詳實記載戰後初期伐木工人的生活狀況，其中包括戰後榮民伐木工人生活的景像。

1956 年起，林務局奉命永久性安置國軍退除役官兵，即一般民眾所稱榮民 4,275 人，從事造林、保林、伐木、運材、開路、治山等工作，林務局納入部分勞民為編制內員工。其職位退役將官為顧問、校官為專員、尉官為課員。大甲林區管理處八仙山林場分配員額為 100 名。由於八仙山原有員工宿舍無法容納所有榮民，林務局在松鶴部落二溪南邊，緊鄰鐵道旁的空地，蓋了一棟一條龍式的「榮民寮」。榮民寮以鐵杉為主要建材，屋頂以鐵皮覆蓋，裡面為通鋪床位，雖然設備簡陋，生活在同一屋簷下，因為大家都有革命情感，所以生活安樂，相處非常愉快。

王錫灝先生二十幾歲來臺，孑然一身舉目無親，由退輔會安排至八仙山工作，從伐木、檢尺員、守衛再做到巡山員，一直深愛著八仙山林場。他說：

　　這裡原本的伐木工人以客家人和閩南人居多，原住民很少。老一代在山上做工的臺灣人都很照顧我們，那裡不懂都會教我們，大家感情很多，幾乎沒有吵過架。年輕時最害怕山上的大霧迷濛，在林場巷住了四十多年，現在的八仙山，我閉著眼睛也能走。

　　另外還有一對「芋仔蕃薯」的結合。一位來臺的單身榮民

【左】久良栖林場巷宿舍。（管雅菁／攝影）
【右】榮民寮

呂元川同樣由退輔會安置到八仙山林場工作，二十幾位同僚一起居住在一棟簡陋的鐵皮屋中，植樹造林的工作並不輕鬆，當時每日生活費 4 元。後來他在山上娶了老婆月娥，月娥說：

這群到山上的榮民生活貧困，我們家常常拿自家種的菜給他們，爸爸會邀請他們到家裡來洗熱水澡。我從小喪母，隨父親在山上工作，生活的苦難最能感受。

兩人的結合是因為呂元川閱讀和寫作的習慣吸引了月娥，促成一段姻緣。呂元川在《中國勞工》連載刊出〈仙山戀〉小說，吸引了月娥的注意，從此兩人結成連理。八仙山林木停伐以後，許多員工被安置到久良栖居住，成為最重要的歷史場景，正如王國雄在《八仙山傳奇軼事》書中所提到的：

在這個小山城中，族群和諧比誰都快，父親是外省人、母親是原住民，孩子就在山上山下兩個家裡跑，社區裡別人家小孩當自己孩子，一到逢年過節就是各族群的美食大放送，新臺灣人的真切定義。

山上長大的孩子

日本戰敗後，日本員工悉數撤離，上層幹部由外省人占缺，底層伐木仍由臺籍工人負責，後來又陸續安置退伍榮民。八仙山林場為官營林場，可以進入擔任伐木工作算是一份穩定

的待遇，由於地緣的關係，其中又以東勢、卓蘭等地的客籍人士居多。臺人加入各伐木組工作，從事一些基礎的伐木工作，負責集材、運材與貯木作業，由於林場地處偏遠，許多伐木工人直接與眷屬住在林場宿舍裡，女眷為貼補家用，會在伐木區撿拾棄材作為家用。

松鶴國小對面有一家阿嬌姨雜貨店，是往來登山客最佳的補給站，《八仙山傳奇軼事》就訪問了這一對因八仙山而結合的夫妻——吳弘恭與阿嬌姨。吳弘恭先生於 1961 年到八仙山林場工作，他回憶當時的伐木工作：

當時一級木已相當稀少，多以二級木為主，許多伐木工作都已外包，一斗米約 30 元，我們一天可以賺 500 元，薪資非常高，但風險也很大。

1962 年 5 月 27 日，佳保臺第 8 號集材架空索道，加掛運材空車為交通載具，當時如果往返步行要三個多小時，為了節省時間，載木頭的載具常常成為載人的交通工具，後來因為煞車失靈摔落山谷，其中包括一位女性、兩位榮民，其餘多為客籍伐木工人。阿嬌姨是吳弘恭太太，從小跟著父母在山上生活，她回憶當時父母工作的情景：

流籠下方往上看，就可以看到對面山上，隱約可以看到父親在前面拉木馬，母親在後面幫忙推送，慢慢從 S 形木馬路往

下。平均一組木馬載重約二千公斤重，因為是按重量計酬，有些夫妻檔會接到三千多公斤。

在松鶴部落（久良栖），我們很幸運的訪問一位年近八十的老奶奶，她小時候的生活就在新山度過，父親張運水是東勢客家人，有一手木工好手藝，在林場負責建造橋樑；一如大部分的林場家庭，母親是道班工，跟著丈夫在林場討生活，打從她出生開始，就由奶奶帶著跟著父母在山上做索道，她回憶戰後發生在新山上的兩場大火，把日本時代漂亮的木造房子都燒光了，他們一家人像「乞丐」般生活，家都不見了。山上孩子的韌性特強，十四歲國小畢業以後，她又回到八仙山做臨時工，有時候也幫忙臺電做年度保養維護工作，檢查電線的路線週圍是否有雜草。奶奶的故事很多，包括在八仙山國小就讀的經歷，以及童年生活的種種回憶，她說：

我一年級才到八仙國小註冊就遇到火災，後來到山下住了陣子，六年級才又回到八仙國小就讀，兩個年級一個教室，那時候的外省籍老師教得很好。我們每天都要想著做索道，很辛苦，那年代可以讀書的孩子不多，我可以讀書算很好了。

原本住在新山索道口，十八歲（1959 年）結婚以後，她搬到佳保臺員工宿舍。先生是長她 13 歲的河南外省退役榮民，

她回憶和先生在八仙山上的生活：

　　我先生在八仙山做造林監工，結婚以後就一直在佳保臺生活，只有遇到孩子生病才會坐公車到東勢就醫。八七水災以後，機關車停駛，連機關車的鐵路、木橋和索道都一併拆除了，真的非常可惜……，我們還住在佳保臺，要從八仙山苗圃一路走到十文溪才能上車，路面都是石頭路，非常辛苦。後來八仙山一直改組，民國50幾年，有風聲說要遣散員工，我們就從佳保臺搬到林場巷的員工宿舍。

　　到松鶴部落以後，先生轉業到佳保臺林區的退輔會工作，她就接一些林務局的臨時性工作，到久良栖苗圃拔草、播種、造林等。訪談過程中，她從抽屜裡拿出一本《八仙山林場史話》一直指著八仙山史話的照片，不斷回憶過去的生活：「這就是佳保臺的全景、這是索道……。」奶奶姓張，父母幫她取了一個很有味道的名字叫「森妹」，一位在森林裡長大的客家女孩。

打林過生活

　　一如前文吳弘恭所提到：「（戰後）許多伐木工作都外包了。」除了直營伐木作業，林場為了充份利用所有的林木資源，將部分林業資源發包給民間處理。家住東勢高簡的羅春福已經92歲（1926年出生），在戰後最混亂的時候，恰好經歷了這

一段他口中的「打林」生活。他說：

　　我是民國35年跟著哥哥到八仙山工作，除了伐木，林務局將其他雜項工作發包給外面的人來做，我們負責將林務局砍下來的木頭剖片。我哥哥就是承包林務局工程，當時的包商通常都是找幾個親友一起上山工作，客家人、閩南人都有，工作地點在新山、十文溪及馬崙附近的深山裡。檜木、紅木、香杉要剖成五尺半、六尺半的尺寸，再交給其他工班裁成二尺八寸的瓦板。當時我哥哥和嫂嫂兩個人包一項木材工程的利潤有四、五千元，當時一錢金子才兩百元，可見其利潤有多好。

　　戰後初期，民間承接伐木作業還是一項高利潤的工作。但光從東勢到八仙山的交通狀況，就折煞這群要前往山上工作的伐木工，只是些山林裡的道路，隨著八仙山林場任務的結束，再也找不到蹤跡，老人家說：

　　到八仙山工作，得先從東勢到石岡，走過大甲溪吊橋到土牛車站搭車，早上7點有一班機關車上山，山勢很高，搭機關車印象非常恐怖，到久良栖都已經中午12點了。從久良栖到佳保臺就改為伏地索道，到那裡就已經天黑了。通常我們會在佳保臺住一晚，再轉往新山、十文溪，最後才到達目的地馬崙，馬崙那裡有簡易的工寮可以居住。有一段時間還砍木材背到環

山更進去地方，幫忙建造勝光派出所。

　　家住東勢街上的九十歲（1929 年出生）劉瑞潮先生，曾經開設新高照相館，他回憶著以前到山上探訪同學工作一事，他說：

　　大約在光復後四年內，受到當時在八仙山林場擔任伐木剖片工作的羅春福同學邀請，一起到八仙山進行遊覽，從佳保臺到馬崙，由於錯過了機關車班次，原本還可以搭流籠上山的，卻因為羅春福同學跟他們說有人搭流籠，掉下山谷裡的事情之後，兩人就嚇得不敢搭了，當時，三個人就沿著鐵軌路走上山，一直走到天黑，黑暗中覺得非常可怕，到了山上就住在伐木工人住的宿舍裡，在那自行炊煮料理，不知道是什麼原因，覺得這裡的米飯特別香又好吃！竟然，快把同學宿舍的米糧吃光光！

　　看完羅春福戰後的伐木生活，接著我們再隨著時光隧道，回到八仙山林場開展初期，日本內地的伐木工人又是過著怎麼樣的生活？

日治時期的杣人

　　日本時代整個八仙山究竟有多少林業人員呢？我們從戰後接收專員康健時調查的表格可以一窺究竟，當時康專員上呈這份表格，主要為改訂適合「中國」的職稱。

八仙山日治時期員工職稱表

業務分類	職稱
斫伐事業員	事務員、倉庫手、守衛、小使、給仕、電話交換手、宿舍番、雜役夫
貯木關係	信號手、貯材手、掃除夫
鐵路方面	驛長、助役、驛手、檢尺手
貨物係	檢車手、機關手、機關夫、制動手、操車手、電話工手、線路工手、建築工手、土工、石工
運材方面	運材夫、運材工人、運轉手、切判手、木工
伐木方面	伐木工人、杣夫、木梶夫
集材方面	集材伐人、集材夫
製材方面	日立工、製材手
修理工廠方面	電工、仕上工、足盤工、先手工、絹立工、鐵工、鑄物工、鍛治工、熔接工、形前盤工、平削盤工、木型工、製罐工

——1947年，康健時為統一職稱，特別整理工作人員稱呼，使工作協調更加順暢。

胴割大剖手

佳保臺過去是泰雅族語狩獵的場所，泰雅族人稱位於八仙山的獵場為 K・HO・LAY（獵場），日譯為佳保臺，日本時代，這裡成為伐木工人人休憩娛樂的場所。八仙山林場每年都必須由內地及本島召募數百名伐木工人，尤其胴割工人多由日人擔任，胴割是日本林業的專有名詞，主要指林木的切塊取材作業，負責胴割的杣人稱為大剖手，非常受敬重，薪資高、待遇好。

這群人大都來自同樣擁有森林的日本青森、木曾（長野縣）與紀州（和歌山縣）等地，他們以浦木組、田上組、林組等團體名義，受雇來臺工作。離鄉背景，生活非常辛苦，佳保臺成為最佳的娛樂場所，場區內設有娛樂室、交誼廳、電影院等設施，林場經常有電影放映會或歌舞團表演。

木馬人夫

1918 年，媒體有一篇關於〈八仙山近況的報導〉，裡頭深入的描繪山上木馬人夫的工作處境：

八仙山木伐木，由蛇木溪至久良栖之間，係以木馬為運材，一月中以降雨極少，運搬大為進步。蛇木溪積木材約六千尺才，這些木材運完，本年度伐材就全部搬運完畢。負責木馬的搬運工內地 45 臺，本地 20 臺。一月中內地獲利最多者

拉木馬是一項非常危險的工作。（資料來源：《八仙山林場史話》）

百五十圓至百八十圓，其他亦無百圓以下者。本年相較以往的木馬人夫相較儉約，少有飲酒而怠惰者，今年運完以後，大半都會返回日本內地。

　　——八仙山作業近況，〈日日新報〉，1918 年 2 月 9 日

　　「本年相較以往的木馬人夫相較儉約，少有飲酒而怠惰者！」可見日本時代由內地來臺的木馬人（運材工人）在金錢花費上都頗為浪費，尤其好飲酒。另一方面也反映山上工作的苦悶與離鄉背景的悲傷。

集體罷工

　　勞資問題並不是現在才有，早在一百年前，八仙山上就活生生的上演一齣集體罷工事件，而是內臺工人共同演出。1919年 3 月 15 日，正當流行性感冒蔓延在梨山山頭時，來自內地的數十名伐木工人因為薪資問題與作業所發生爭執，他們認為林場薪資低於內地，這種薪資結構是不合理的，作業所以薪資給付係「依規辦理」，無法臨時加價，因此造成數十名日本人罷工集體下山。隔天，雙方繼續協商，但仍然沒有共識，這一次有二十幾名日本人跟著一起下山。事件愈演愈烈，連新竹廳各製材所的本島杣夫也一起加入罷工行列。結果到底勞資雙方誰勝誰負？報紙沒有後續追縱報導，我們無法得知，但當時這群杣夫面對的還不是只有山區險惡的環境，以及在當地隨時會

引發的流感病情，還有「蕃人的復仇」，如果要安心工作，除了飲酒作樂，好像也沒有其他選擇了。

追悼殉難者

1926 年 11 月 26 日晚上，八仙山佳保臺上顯得格外的熱鬧，廣場和林間是一場寫真會，營林所臺中出張所所長上野忠貞特別安排攝影師為大家拍照。娛樂館顯得格外肅穆，來自臺中寺的大野道師正在做一場安心立命法語講談。今晚在現場的都是為開發八仙山而亡故者的親屬，這一些遺族隔天一早將聚集在新建的佳保臺神社前，參加一場「八仙山殉難者與病歿者追悼法會」，東勢武田郡守將特地上山，與上野所長共同舉行這一場追悼會，大野道師會為亡靈誦經祈福，帶領所有遺族參列者拈香祝禱，這是八仙山近來少有的盛況。

促成這場法會的當然是營林所臺中出張所所長上野忠貞，但是，影響他這麼做的是去年（1925 年）伊澤多喜男總督的臺中州巡視之旅。11 月 23 日，伊澤總督的座車在下午二時抵達臺中驛，轉驅自動車赴豐原視察製麻會社與八仙山製材貯木場預定地。上野所長早已與殖產局與營林所長官在此恭侯多時，當他看到那麼多人為闢山伐木而亡者，禁不住說出：「**礦山事故何多？**」的感慨，對於無產階級者的勞動危險，流露出同情的感情。過去十年，八仙山的殖產事業確實犧牲不少人。其中被動輒數百公斤的木頭壓傷甚至亡故是常有的事情：

1916 年 11 月 8 日，杣人中西林松在 10 月 19 日下午一點半，在木馬道運材途中，左腳誤中岩角木材所夾，從踝部關節以上全部粉碎，後被送入臺中醫院治療。

1917 年 05 月 20 日，土牛庄臺車後押人夫劉慶秀，滿載八仙山檜木運至翁仔庄急勾配之所，忽然從線路上墜落，為木材所壓，一時睪丸脫落，且有數處傷口，經臺中醫院施以應急手術，在病院治療數月才得以返回工作崗位。

1918 年 2 月 13 日午後，佐藤百人正在伐木作業時，被傾倒的立木壓住受傷，膝部和胸部都受到嚴重的創傷，緊急送臺中醫院急救不治。

還有的是在工作的途中因意外身亡：

1919 年 4 月 6 日，運材夫井上留吉、橋本喜造兩人在大甲溪上游作業，誤墜深處慘遭滅頂，之後橋本屍體在大茅埔附近被發現，井上至今下落不明。

1924 年 6 月 6 日，26 歲的青年竹村巽，因六町橋整舊工事，墜落九尺橋下，因頭背部觸岩，當場身亡。

當然，原住民報復性的「出草」也像天上飛來的橫禍一般，不定時降臨在這一群杣人的身上，尤其在薩拉予作業期間：

1920 年 8 月 3 日，河內龜吉、栗山兵亮兩位來自內地的

八仙山作業員，因電話線路不通，從作業所辦公室一路往山上巡查線路，半路才知道中了蕃人的計謀，兩人慘遭馘首，一直到翌日清晨，同事才發現他們的身軀，至於頭顱一直不知去向。

林場火災

林場最怕的是火災，卻也是最常發生的意外事故，可悲的是由於牽連極廣，損失慘重，媒體通常只報導檜木的延燒範圍與價值的損失，至於人員的傷亡，似乎就沒有那麼重要了。

1923 年 2 月 17 日，早上 7 時發生大火，因強風吹煽，導致風勢猛烈，開防火線以防其延燒，一直到下午 6 點火勢才被撲滅。延燒範圍約 20 甲，檜材立木五萬石，價值約有十萬圓以上。

1926 年 3 月 4 日，下午 1 時起大火，為強風所煽，影響該地職員人夫約 150 人。久良栖警戒所員，暨蕃人數十名齊到撲滅，該地全無檜木林。

1929 年 1 月 19 日下午 3 時，八仙山第三林班伐木地發生大火，一直延燒到 21 日凌晨，全燒檜木 1,500 石，半燒達千石以上。

1930 年 1 月莫名起火、火燒延燒數日，其後八仙山大火事件再也沒有出現在媒體報導上，可能是防災觀念與預防措施發生效應，也可能是躍上版面的山林風光與殖產興業才是八仙山的要聞。戰後，火災仍頻繁發生，八仙山林場火警焚毀林木

百公頃……消息不斷見諸報端，前述張森妹奶奶就是親身經歷這一段過程的見證者。

老林場人的真心話

森林開發處連砍伐孤立木都被環保團體抗議，我認為這是矯枉過正，樹木本來就有生命週期，就像稻米蔬果一樣，只是它的生長時間拉長了。就像稻子成熟不收割，我們覺得浪費。樹木到了一定的年限就應該利用，否則會腐敗，成為資源的浪費，闊葉的樹的生命年齡幾十年而已，沒有砍下來利用，在現場腐爛就是資源的浪費。

——張賜福，2018 年 7 月 28 日

從一場地震開始

九二一震災是令臺灣人難忘的重大災難事件，東勢人員物資的損失令人難忘，死亡三百餘人，房屋有九成幾近全倒，當時的八仙山森林遊樂區受損也很嚴重，最大的影響就是河流景觀完全改變，任職於八仙山森林遊樂區服務中心的林信雄回憶當時的情景：

十文溪、佳保溪兩條溪流面目全非，巨石全部被洪水沖刷消失，滿溪流的苦花魚也不見蹤跡，遊樂區飲用水源在佳保溪，距離今遊客服務中心約三公里，整個取水設施被大石壓毀，水

源完全中斷，廚房被大石壓毀，也沒辦法煮食，更遑論供電設備完全停擺……。

林信雄家住東勢，地震當晚正值輪休期間，自己的老房子也被震垮了，隔天一早他放著家中老小與太太，一個人準備上山值班，當時也在園區擔任解說志工的太太王秋梅儘管擔心，也只能幫忙準備一些食材，讓先生帶在身上，以防山上隨時有斷糧的危機，獨自一人在家處理倒塌房屋的善後事宜，只是這一上山先生就失聯了四天，好不容易連絡了以後，心上一塊石頭總算落了地。林務局屬於三級單位，從中央統籌下來有很多單位要分配，所以九二一地震以後，八仙山森林遊樂區的復原速度很慢。

公有林地的再利用

林信雄從一位林場人員，經歷八仙山遊樂區服務員，再經歷九二一的天搖地動，一直到 2005 年退休。對於林業發展的未來，他有自己的一套見解：

木材的經濟價值完全不加以利用，這是一個很大的問題。杉木是最底層的造林樹種，我們從大陸引進福州杉、日本引進柳杉，這兩種樹種是低海拔最常見的樹種，結果現在完全沒有砍伐。以日本來說，只要成長到一定的高度，杉木就不可能再往上

生長了，他們就會砍伐、間伐，以保持樹種的新陳代謝，但是臺灣目前都不能砍，這是一個很大的問題。低海拔的管轄權屬分為兩個，一千公尺以上由公家管理；一千公尺以下由鄉鎮公所管轄，分為公有地與民營私有地，平地我們都鼓勵種樹，私有地可以申請砍伐，但公有地就完全沒有利用，這真的太可惜了。像公家的林班地也是，風倒木不能砍伐，路旁的不能砍伐，孤立木也禁止砍伐。樹木就放著任其腐爛，我們看了都好心疼。

八仙山林場史話

　　震災影響的還不只是八仙山國家森林遊樂區，連帶也影響原本位於東勢的林區管理處，地震使基礎設施與建物損壞嚴重，東勢林區管理處決定把辦公室遷到豐原，當時夫妻都任職於林區管理處的張賜福夫妻提到當時搬遷的混亂情景：

　　九二一地震以後，原本位於東勢的林區管理處要搬遷到豐原，整箱資料被當垃圾清掉。我看那些資料、相片都很珍貴，丟掉就沒有了。就找我老婆一起拿著袋子撿，然後再慢慢整理，包括日本時代的明信片、林務公司成立時的簽名簿……，各單位都把認為「沒有用的」東西往外丟，我和太太兩個人就拼命一直撿，一直撿……。

　　這些「撿來」的資料，後來在張賜福的努力下，出版了一本書《八仙山林場史話》，2004 年出版以後，引起許多人的關

注，各方演講邀約不斷，也吸引媒體對於八仙山林場的關注，他感慨地說：

　　我們臺灣人對歷史、文獻都不注重，只要現在用不到的就當作垃圾丟掉了，當時我就發現其中有一部分是八仙山的資料，我想那是日本時代的三大林場，都沒有人整理過，我就自告奮勇主動上報長官，辦理一個「老照片徵集活動」，假日我就帶著老婆一起去拜訪退休老員工，只有他們才知道早期的歷史，好像傻人做傻事，很多費用都是自掏腰包。我從90年初開始編輯，隔年出版，94年出版第二版，翌年（95年）再出版《大雪山林業史話》。

一所林業博物館

　　張賜福對於伐木工具的蒐集不遺餘力，他最大的心願是在竹山老家成立私人的「林業博物館」，他對於遊樂區二樓的林

東勢林業文化園區賴冬
信木雕作品伐木工人。
（管雅菁／攝）

業史話展覽館以不鏽鋼仿製伐木鋸頗有微詞，因為「味道就有差了。」而東勢大製材場的維修整建，花費那麼多錢，卻完全沒有看到成效，也令他感慨。他兒子目前長住加拿大，兒子了解父親對林業的興趣與依戀，總是帶著他到加拿大各地的林業博物館去參觀，他說：

　　我到加拿大林場去參觀，他們對伐木的廠房、工具都原樣保存，沒有做任何改變。我們這裡就將屋頂以一級木檜木重新翻修，這些根本就不必要。他們都是保存原樣，機械也都還可以運作，一個星期有一次會啟動機器，讓民眾體會當初製材工作的場景，邀請老員工回來解說操作，收入就當作社區的基金，也讓這些退休的老員工可以有工作，成為一個生態解說的場所……。

木工教育的困境

　　1959 年大雪山林業開展的同時，東勢高工伐木製材科成立，成為臺灣上游伐木到下游家具木工人才養成的教育基地。只是隨著上游伐木事業的結束，科系名稱從家具木工再改為室內設計科。看似市場對人才的需求，導致學校教育項目的轉變，卻是整個臺灣木器加工業的危機。東勢高工實習處主任呂家清從 1987 年進入東勢高工服務，迄今三十一個年頭，對於這幾年木工人才培育的困境有深刻的體悟。他說：

學校是培養人才的地方，市場缺乏什麼樣的人才，學校就要擔負這樣的責任。就像當時伐木科的成立，以及現在的室內設計科。因為木頭的源頭不見了，社會期待和市場需要就不同了。

究竟臺灣取不到木頭原料以後，我們面臨什麼樣的困局呢？呂家清主任從三十幾年木工教育工作者的立場為我們娓娓道來。

首先是產業外移，臺灣現有的木工廠都是小型的，大型的木工場早就外移到中國、馬來西亞和越南。這些工廠一走，我們周邊的企業就跟著走了，孩子根本就找不到出路，這就是整個產業的現況。然後是社會期待，大部分的家長不讓孩子學木工，第一個原因是危險，第二是只能一輩子做「做工仔人」。最後是市場需求改變，民國 86 年左右，全國的家具木工科都改為室內設計，主要還是為了學校招生容易，政府這幾年廣開大學，學生都有升學的機會，有九成的學生選擇升學，大專院校沒有木工科，為了要取得大學學歷，不得不轉科。

國產木頭消失以後，讓國內產業外移；廣開大學之門讓臺灣木工業界人才難尋，連帶國內技職教育也看不到未來。

以前實習課程很長，學生的技術也比較紮實。現在的學習環境根本沒有辦法同日而語。現在 30 個榫接只能教 6 個，因

為我們要速成，以前高職的目標就是培養企業的基礎人才，純粹學技術，現在有九成學生都要升學，國文、英文、物理和化學都要學，在木工技術方面，孩子不是半桶水，是只有幾滴水。

所幸中部有幾家建設公司的老闆基於善心，成立「臺灣行動菩薩助學協會」，三年前他們與東勢高工合作「發願成才計畫」，每一年有 8 位夜間部家境清寒的學生可以接受木工職業養成訓練。每個月的星期五早上，由建設公司老闆們負責安排品德、美學和音樂陶冶課程，他們也分批來跟孩子談成功的心路歷程，甚至帶著學生參觀興建中的豪宅。下午就由業界木工師傅來教學生木工技術。暑假也沒有荒廢，師傅帶學生到職場去實習，實際參與木工作業。呂家清主任說：

今年高三已經有人畢業了，在職場上一個月可以賺到五萬多元，整整跟了木工師傅走了三年，技術訓練非常紮實，反而在體制外走出一條路。

只是木工的未來不能總是靠企業的善心來成就，臺灣林業仍需找出自己的一條新出路。

臺灣林業新出路

臺灣每年需要 600 萬立方公尺的木材製成傢俱、紙張、建材，但國產木材僅有 3 ～ 5 萬立方公尺，木材自給率連 1% 都

不到！真的太低了！

——林務局長林華慶，2016 年 12 月

國產材元年

　　2016 年 4 月，國內網路知名公益媒體《上下游 News&Market（新聞市集）》開始反思國內林業保育政策的問題，臺灣林木九成依賴進口，每年可以填滿一座雪山隧道，其中又以馬來西亞為最大進口國。當地民間組織來臺抨擊，大馬政府長年帶頭盜伐森林，迫害原住民人權。我們保護國內森林資源，卻變相鼓勵盜伐行為，持續破壞當地環境和社會。這樣的呼籲得到林務局的正面回應，開始檢討現有林業政策，正視 8.4 萬公頃的人造林和 13 萬公頃私有林的再利用問題，擬定盤點計畫，將可利用林地，供國內所剩無幾的林產業者進行專業伐採。臺灣林業停擺近 30 年，結果是向政府承租國有地造林、經營林業的林農們完全無法回收，不是放棄承租，就是將林地轉種茶樹、果樹，反而造成林地更大的破壞。林業長期萎縮，目前全臺僅剩八萬名林農、四家林業合作社。

　　1989 年，政府明令禁止伐採針一級天然林，包括紅檜、扁柏、臺灣杉、香杉、肖楠這五種高貴針葉木的天然林，成為臺灣林業重要的里程碑。現任林務局長林慶華接受媒體訪問時說：「當時整個環保意識衝撞，也讓社會達成保護原始林的共識，但這樣的共識卻演變成現在很多人認為砍樹就是不道德，直接上綱到另一個層次。但我們到底要不要、應不應該用木

上下游 News&Market（新聞市集）

創辦於 2011 年，是一個關心農業，以及友善土地議題的社會企業，主要推動新聞、市集與生活文學副刊三項工作，三個部門完全獨立作業，彼此互不干預，市集營運所得會支持新聞部運作，但完全不介入新聞製作內容。其中新聞平臺採獨立的調查報導，提供多元的訊息，自聘記者，進行農業、食物安全等公共議題報導，深受民眾信賴。（資料引自上下游 News&Market（新聞市集）網站，網址：https://www.newsmarket.com.tw。

材？」林華慶解釋：「木材是可以再生的資源，就資源角度來說，如果生活完全不使用木材，那就表示要用水泥、塑膠，但都是消耗性資源，從挖掘開採到整個生產過程中，消耗非常多能量，而且不會分解，會形成很多廢棄物，如果人類要使用這些材料，做為建築生活所用，相較之下，能夠再生的木材是最好選擇。」他進一步強調：「環保跟林業之間應該找出交集，在排除環境敏感地區的前提下，永續利用、友善環境就是林業新出路。」林務局將 2016 年定調為國產材元年，希望重振臺灣林業打造國產材品牌，開始倡議臺灣國產木材，但法規該如何修正，才能兼顧林農生計和生態平衡，成為林務局必須面對的難題。

天羅地網的林業法規

除了國有林木利用的經濟問題，森林利用的方式是不是有更多元的選擇？今年（2018 年）年初，《上下游 News&Market（新聞市集）》針對林下經濟的養蜂業面臨的困境，提出現行法令的不合時宜，導致山村因產業條件不足而人口外流的現象。除此之外，九族文化村董事長張榮義也在訪談中告訴筆者，當時興建園內到日月潭纜車時的困難，那怕纜車是從空中經過，地椿設置的數量有限，卻必須收購所有地面林木用地，同時符合所有林區開發法規，因建設需要砍伐的木頭，「誰也不敢去動。」恰巧林業人林信雄到當地旅遊，從纜車上往下望，面對這樣林木橫躺腐爛的景像，心中百感交集。不論原始林、

人造林，凡是森林所在，我們設下天羅地網的層層保護，也許是該重新省視這樣的林業政策的時候了。

他山之石：從教育到產業

芬蘭是林業大國，許多芬蘭人家裡就擁有森林，因此。他們從 12 歲開始教育孩子學森林生意。林業作為城市裡循環經濟社區的一環，如何找出城市與森林共處的商業模式是孩子的學習課題，這裡頭包括能源公司、森林管理公司與牧場的合作機制。這並不只是學校教育的內容，而是真實的在社會實踐。

芬蘭中部小鎮艾內科斯基（Äänekoski），森林裡就有一座生質工業區，造紙工廠完全利用每一根木頭，化成十三種原物料，包括本來紙漿廠的廢料，如今接上十家公司的產線，不只水蒸氣可以做起司，廢水、污泥、木渣，各自變成音響喇叭的原料，或成為能源，讓一千八百輛汽車開一年，或拿去發電，扣掉紙漿廠所需，還能支撐十萬個芬蘭家庭一年暖氣所需電力，絲毫不浪費！

對照於臺灣的作法，長期以來我們的生活與森林是阻隔開來的，人們是把森林視為「恐怖幽晦」的所在。從建築材料到日常生活用品，也因對火的畏懼而敬謝不敏。我們住在城市裡因擁有一塊綠地而雀躍不已的同時，卻忘了臺灣擁有豐富的森林資源，當森林被我們過度保護的同時，也是整個木頭文化從我們生活週遭消失的同時。八仙山不應該是在臺中市八千呎的高山上，它更應該在臺中市區，在每一位臺中市民的心裡。

結語 Conclusion

是鬼魅還是精靈？

蔡金鼎

根據林務局統計，臺灣的森林面積占國土面積的 58.5%，總計全臺森林面積共約 210 萬公頃。其中天然林約占 72%，20% 為人工造林地，另有 7% 屬於竹林林相。這一連串的數字對各位讀者有意義嗎？臺灣政治解嚴以後，空間環境也相對解放，臺灣人開始接近大海洋流，從國民小學開始，我們教導孩子游泳、滑舟……，利用各種機會親近海洋。相對於海洋資源保育、觀光、經濟發展並重，而對於近六成的林木資源，則在高舉環保與不合開發成本的經濟考量下，成為少數熱愛登山的人士「挑戰」的「祕境」，偶爾躍上新聞版面的，不是山林的盜墾盜伐，就是哪一位迷糊的登山客又在森林裡迷了路，出動直昇機救援，浪費國家資源……，對於這 210 萬公頃的森林，有沒有一種讓人們更親近的方式？

　　日本時代基於殖民地經濟開發的利益，八仙山成為昔時全臺三大林場之一，同時在 1927 年 8 月，經日日新報票選為「新」全臺八景之一，機關車一路奔馳於土牛到久良栖之間，運送林木的伏地索道，架設載人車廂，也成為久良栖到佳保臺間主要的交通工具，這些軌道建設都發生在近百年前。從林業經濟、森林觀光到偏鄉交通，我們很難想像一百年以後，我們前往八仙山的交通僅剩下一種選擇，而森林觀光在面臨國民旅遊地點選擇的多樣化下也日漸蕭條。

　　老林業人張賜福主任在退休後，常常與兒子到加拿大參觀林業博物館，竹山老家的臺灣林業博物館的藍圖一直在他的心裡萌芽。2012 年，筆者單騎遨遊溫哥華，走出捷運就是一座森

林橫在眼前；單車可以馳騁在林間小路，走過跨溪小橋、穿越森林，也可以看見幾幢摩天大樓高聳入雲，都會生活與濃密森林緊密結合，一切顯得如此「自然」，不小心就讓我們愛上一座森林。

加拿大在森林裡的露天社區音樂會。（蔡金鼎攝於溫哥華）

　　閱讀完一本書應該不是結束，而是行動的開始，當荷蘭人以分散式小型電廠，解決浮在海面上的房子電力供應問題，我們還在為臺電集中型的遠程電力供給爭議不休，除了高污染、低風險的燃媒發電與高風險、低污染的核能電廠，我們似乎找不出另類的抉擇，在這個對於電源的依賴愈來愈深的時代。因此在全書的最後，我們以荷蘭人對森林利用的方式提供一種另類觀點，除了砍伐與保育的兩個極端，我們有沒有辦法讓人們可以隨時與森林發生關係？找個機會與臺灣森林談一場戀愛？

附錄 Appendix

八仙山大事記

年代	事件
1725	• 臺灣府在今臺南設置修造戰船的軍工廠，分別於鳳山、諸羅和彰化縣近山設軍工匠寮，採伐樟木以為船料，授與軍工匠首入（低海拔）山區伐墾樟木特權。 • 彰化縣境有二處軍工匠寮，一在岸社舊社（今后里區大甲溪東岸舊社里），一在阿里史社（今北屯區旱溪東岸軍功寮），允匠首率入山，准熬腦以為補貼。
1761	• 彰化知縣張世珍派員東勢大甲溪對岸樸仔籬社（今石岡區內）築土牛溝，立「土牛民番地界碑」，築 19 座土牛為漢番分界。
1770	• 7 月，官方為造戰船對樟木需求甚切，匠首鄭成鳳率匠工數百人在東勢（今匠寮巷）築草寮，岸裡通事派社番 20 名守護。
1772	• 漳州人林潘磊，開始進入南勢群域的水底寮拓墾，後因常遭受附近原住民的攻擊而放棄。
1886	• 臺灣巡府劉銘傳奏設伐木局，專司森林砍伐事務，同時設中路撫墾局於罩蘭（卓蘭），設馬鞍籠分局。 • 劉銘傳出兵討伐北勢番，漢番衝突加劇，水底寮、大茅埔、水長流原住民出沒殺害漢人。
1887	• 8 月，棟字營派兵 2,500 人討伐阿冷社和白毛社，出師不利，目的為「伐內山之木，以裕餉源」。 • 10 月，捎來社的頭目出面調停達成和解，清兵死傷近 8 百人，南勢社僅 3 人死亡。 • 移中路撫墾局於東勢角公館（今巧聖仙師廟）撤馬鞍籠分局，分設大湖（卓蘭）、馬鞍籠（馬鞍寮）、大茅埔、水長流、北港等處分局。
1895	• 5 月，日本統治臺灣，設東勢角撫墾署出張所（辦公室）於大茅埔。
1898	• 廢除「撫墾署」，大甲溪流域南勢蕃政歸臺中縣臺中辦務署第三課管轄，仍於東勢大茅埔設立課員出張所。
1899	• 6 月臺中縣新設「樟腦局」，在東勢角駐隘勇 105 名，由臺中縣知事木下周一直接指揮監督。

年代	事件
1900	• 5 月，森丑之助的行腳來到東勢角大茅埔出張所，他沿著大甲溪一路上溯尋訪生蕃的足跡。
1903	• 10 月，南投廳與臺中廳分別展開「推進隘勇線」行動，分別於阿冷山、白毛山兩地附近新設隘勇線。
1904	• 6 月 10 日，臺中東勢角支廳長井野邊幸如率領部眾，經白毛社隘勇監督所向海拔高度 1,310 公尺的阿冷社群最北端探險。
1905	• 3 月下旬，同屬於南勢群捎來社接連不斷侵擾隘勇線附近隘勇並破隘寮等設施，惹惱日軍組成討伐隊。
1907	• 日軍完成長達 6 里（約 23.6 公里）之隘勇線，將白毛社全部，以及及捎來、阿冷兩社各一部分數納入隘勇線內監控。
1909	• 10 月，東勢角製糖株式會社創立，投入資本申請蕃地林業生產事業。
1910	• 臺灣總督佐久間左馬太訂定「五年理蕃計畫」，編列 1,630 萬圓經費，以軍警聯合武力徹底討伐原住民。
1911	• 10 月初，臺中廳與南投廳兵分兩隊推進「大甲溪隘勇線」，受蕃人攻擊死傷慘重。 • 10 月 6 日，理蕃部隊發現廣袤檜木林，初以「檜山」稱之，後以其海拔高度命名為「八仙山」。 • 7 月，葫蘆墩輕鐵合資會社經營葫蘆墩到東勢輕便軌道，初期營運不佳，難敵牛車競爭。
1912	• 元月 6 日開始，阿里山林場技師網島正吉多次進入調查八仙山林野。 • 3 月 16 日，土牛川瀨製糖場開始作業。 • 4 月中旬，臺灣總督府批准南投廳推進白狗（hakku）隘勇線，由躑躅岡（今南投仁愛鄉慈峰）至 Salamao 鞍部，一舉切斷泰雅族各社群之間的聯絡。 • 6 月，東勢角物產會社增資四萬圓成立土牛庄事務所，向官方申請森林原野主產物、副產物的採伐、製造與買賣。

年代	事件
1913	• 1 月，土牛赤糖株式會社收購川瀨糖廍。 • 12 月，臺中廳大肆張揚本年度土牛庄在內的煙草產量與品質優於全國的消息。
1914	• 5 月 1 日，阿里山林場技師綱島正吉奉命調查八仙山森林資源。 • 7 月 23 日，阿里山作業所長永田正吉呈送總督府《八仙山森林作業方針》報告書。 • 7 月 30 日，臺中廳為慶祝「理蕃功成」，委託臺灣日日新報社出版《臺中廳理蕃史》乙書。 • 8 月底，三井物產會社對八仙山的經營表示高度的興趣。 • 9 月初，永田正吉就在臺中廳長枝德二的陪同下，展開「廳長の檜林探險」八仙山之旅。 • 9 月底，八仙山伐木計畫確定由官方推動，自隔年開始採伐。 • 10 月 13 日，中廳長枝德二陪同永田所長二度視察八仙山，往返一共花了五天。 • 11 月底，確定阿里山、八仙山、太平山（時稱宜蘭濁水溪右岸檜木林）三大林場「檜材統一經營計畫」。 • 12 月底，臺中廳以地方稅收拓寬東勢角到八仙山隘勇道路開工，為八仙山森木伐木事業預作準備。
1915	• 2 月，八仙山三十萬開採預算遭議會擱置，無法動支。 • 4 月 15 日，東勢角到久良栖監督所道路開通，道路幅寬者六間，狹者四間，險峻路面全部剷平成緩坡。久良栖到八仙山持續施工，未幾通行。 • 6 月，日本臨時議會通過八仙山事業預算廿七萬一千六百六十九圓，營林局八仙山出張所正式運作，首任所長綱島正吉。 • 9 月，八仙山出張所召募的第一批 人280 人正式報到，含內地人 130 名，本島人 150 名。

年代	事件
1916	• 2 月，八仙山伐木事業用電話線路終於架設完成，人員連絡系統建立完備，開始進行第一批林木放流作業。 • 3 月 1 日，「葫蘆墩輕鐵會社」配合將豐原與土牛輕便鐵道，延長至土牛貯材所。 • 3 月 23 日，來自臺灣阿里山與八仙山的檜木，由南京丸輪船運送抵日本東京，作為明治神宮主要用材。 • 8 月，臺灣檜木正式在日本內地以指定「交關店」方式販售。 • 11 月 15 日，葫蘆墩輕鐵擴大營運土牛至水底寮五哩路線。
1917	• 元月起，營林局為永續林業政策，開始造林新事業，興業與保育並重。 • 6 月，總督府決定在八寶圳土牛庄取水口至葫蘆墩間設立發電所，以八百馬力以上之發電機組進行電力供應（今社寮角發電廠）。 • 南勢蕃情漸漸平穩，居住在捎來、白毛、久良栖等地方的蕃人接受「指導啟發」，以久良栖為模範蕃村，集中管理。 • 居住於今梨山一帶，以 Tahut．Pihit 為首的泰雅族人仍不斷與日警有零星衝突事件發生。
1918	• 5 月，中部果物市場落腳於土牛，成為南北商販往來重要的據點。 • 5 月 27 日，總督府民政長官下村宏巡視東勢角蕃政業務，隨後造訪土牛貯材池。 • 5 月 20 日，臺中葫蘆墩、牛罵頭、員林三大輕便鐵道解散，股東另設立臺中輕鐵株式會社。 • 6 月初，源自歐洲的流感在基隆開始大流行，然後蔓延全島。 • 6 月 18 日，「臺中輕鐵株式會社」接收原「葫蘆墩輕鐵」經營豐原、土牛貯材所間輕便鐵道。

年代	事件
1919	• 元月，流行性感冒在梨山地區的部落間蔓延，甚至延續到北勢群，病死者不計其數。 • 3 月 15 日，八仙山發生內臺杣夫集體罷工事件。 • 8 月，「八仙山新計畫」開展，預計自土牛貯材所至八仙山（久良栖），沿大甲溪左岸三十餘哩間敷設運材輕便鐵道開工，經費約 35 萬圓。 • 10 月，延長久良栖至佳保臺傾斜鐵路（伏地索道）工程計畫，預算增加至100 萬。
1920	• 9 月 1 日，營林局改銜「營林所」，與其下原有林務課及林業試驗所一同撥歸殖產局管理，其他各課全部存置。 • 9 月，梨山一帶泰雅族人聯手攻擊日警駐在所，造成日警及眷屬 3 人被殺死、9 人被馘首、7 人受傷，以及 1 人失蹤的慘案，致使伐木、鋪設森林鐵路中斷。
1921	• 年初，蕃亂稍平，伐採林木重新開始。 • 年中，鐵路鋪設計畫重啟又遇風災地形崩塌，造成鐵軌被土石掩埋。 • 9 月，石岡社寮角發電廠正式運轉。
1922	• 年初，日警再度動員霧社一帶「味方蕃」（指歸順的原住民族群）屠殺當地蕃人。 • 十文溪左岸建設水力發電廠一座。 • 10 月，殖產局長喜多孝治視查八仙山，催促久良栖至土牛貯材所運材軌道工事進度。
1923	• 元月中旬，久良栖至土牛貯材所運材平面鐵路軌道工事竣工，預計出材量增為過去兩倍，僅供運材之用。 • 3 月，久良栖至佳保臺傾斜鐵路（伏地索道）工程完工，克服傾斜地形的運材作業。
1924	• 8 月 23 日，臺中輕鐵株式會社改輕便軌道改為五分車鐵道，開始辦理客貨運輸。 • 營林所在豐原開始徵地，預定興建豐原貯木場，以取代土牛貯木場的功能。

年代	事件
1925	• 移動式軌道的輕便臺車在八仙山各伐採林區與佳保臺間使用。
1926	• 2月6～8日，臺中實業團登山隊登上八仙山主峰合影留念。 • 7月4日，森丑之助登上由基隆出發前往日本的輪船，縱身跳入海中，結束49年的生命。 • 10月，佳保臺神社落成，為祭祀林場殉職員工及員工家屬之用。 • 11月27日，上野所長主持「八仙山殉難者與病歿者追悼法會」。
1927	• 8月28日，八仙山入選臺灣八景之一。 • 10月，豐原貯材所竣工啟用，臺中出張所移至豐原，同時設立豐原製材所。
1928	• 1月，八仙山繪葉書出版，十二枚一組造成搶購風潮。
1929	• 3月，佳保臺設立製材工廠，主要用材供應山場所需木料。
1931	• 3月，僻亞歪索道完工使用，可克服24度斜坡運材作業，運材量大增。 • 3月24日，殖產局長百濟文輔視察營林所臺中出張所豐原製材所。 • 3月25日，百濟殖產局長登上八仙山，視查索道運材作業。 • 6月1日，土牛至久良栖八仙山軌道開始辦理客貨業務，一日一回。
1933	• 12月1日，八仙山鐵路發生營運以來第一起重大傷亡事故，乘客1人死亡、11人重傷、1人輕傷。 • 12月，土牛、水底寮到大南公路開通。
1935	• 11月，東勢卓蘭間道路開通。
1937	• 1月開始，近藤自動車株式會社的汽車行駛於東勢、土牛、中科、石角間。 • 1937年七七事變爆發，臺灣與福州間的貿易被中斷，林業受到嚴重打擊，加速八仙山伐斫事業的進行。
1938	• 舊八仙山（舊山）伐木作業結束，改開發新八仙山（新山）森林資源。 • 2月，十文溪第一索道完工啟用。 • 3月，十文溪第二索道完工啟用。
1939	• 7月，興亞工業株式會社於臺中州豐原街設立，利用八仙山所產雜木生產軍需品。

年代	事件
1940	• 5 月，馬倫索道完工啟用。
1941	• 4 月 18 日，八仙山國民學校設立，由臺中州教育課長主持開學典禮。 • 9 月 1 日，日本政府出資一千五百萬圓成立臺灣拓殖株式會社，移撥三大林場經營權，木材生產量達到高峰。
1945	• 10 月 25 日，國府來臺，臺灣省行政長官公署成立農林處林務局，接收所有官營、民營林木事業。 • 11 月，康健時出任「臺灣省拓殖株式會社接收委員會林業部豐原出張所」負責人，與日籍所長川口秀雄共同辦理交接事宜，等同於八仙山戰後首任場長（1945 年 11 月 -1947 年 11 月）。
1946	• 2 月 1 日，臺灣省行政長官公署成立農林處林務局八仙山林場，接收委員康健時任接收監理員。 • 3 月，康健時與臺灣中華公司簽訂白米換木合約，以穩定場區糧食供給。 • 10 月，康健時呈〈功程給員工（包辦公）改廢採用手續〉辦法，以「組頭聲請承認制度」為包辦伐木工人爭取福利。 • 12 月，康健時命劉來山任新山分場長、劉德福任土牛工作站長，為八仙山臺籍員工任要職之始。
1947	• 5 月 1 日，行政長官公署改制臺灣省政府，農林廳山林管理局直轄全臺各大林場。 • 10 月，聯合國林業顧問藍高梓（G.W.Nunn）奉派來臺，省政府接受建議，積極規劃開發大雪山森林計畫。 • 11 月 1 日，康健時所長離職，奉派省政府農林處產理局作業組利用課課長。
1948	• 6 月，孟傳樓（山東籍）接任八仙山林場場長。 • 9 月，孫振東（河北籍）接任林場場長。 • 9 月，中國國民黨實施金圓券，造成通貨膨漲，八仙山林場停發薪資，員工靠借貸過日。 • 12 月 1 日，十文溪及馬崙上部線附近大火延燒近半個月，媒體形容：「本省林業史未曾有之空前大火災」。

年代	事件
1949	• 1 月，孫振東辭去林場場長，由魏秉俊（福建福州人）繼任。 • 3 月，孫振東因病辭林場管理局技正職。 • 4 月，魏秉俊去職，李樹滋繼任場長。 • 9 月，李樹滋場長組「八仙山增產復興工作隊」，力精圖治。 • 12 月 25 日，索道復建工程落成。
1950	• 2 月，李樹滋去職，臺籍人士鐘毓接任場長。 • 4 月，出材量 2200 餘立方公尺，打破光復後最高出材紀錄。 • 10 月，邱文球接任接任場長。
1951	• 八仙國民學校設立佳保臺分校。
1952	• 3 月，鐘毓回任林場場長。 • 9 月 23 日，蔣介石視察八仙山林場（總統府假陳誠視察發佈新聞稿）。
1953	• 6 月，「八仙山盜林案」爆發，臺中山林管理所前所長楊璉遭扣押。 • 8 月 23 日，檢察官起訴「八仙山盜林案」相關人士，包括施合發木材行董事長邱秀城、臺中山林管理所康正之、前任所長楊璉等人。
1954	• 2 月，東榮木材行盜林案爆發。 • 7 月，「八仙山盜林案」經高等法院復審，施合發木材行董事長邱秀城判決無罪。 • 11 月，大雪山林場開發計畫，決議以公路運輸作為運材方式。 • 12 月 6 日，林場機車發生首起相撞事故，幸無人傷亡。
1955	• 2 月 22 日，74 林班大火，焚毀林木百公頃。 • 12 月，鐘毓場長因案停職十個月，由技正丘樹森暫代。 • 12 月，林務局成立大雪山開發小組。
1956	• 林務局奉命永久性安置國軍退除役官兵，八仙山林場分配員額為 100 名。 • 11 月 24 日，省政府設立「大雪山示範林區籌建委員會」。
1957	• 12 月 15 日，大雪山運材公路試行通車。

年代	事件
1958	• 臺灣省政府公布了〈臺灣林業政策及經營方針〉，第 21 條指示「應積極發展森林遊樂事業」。 • 11 月 17 日，臺灣大雪山林業股份有限公司（簡稱大雪山林業公司）成立，由省政府以合資方式募股投資。
1959	• 臺鐵東豐支線開通。 • 大雪山林場伐木事業開始。 • 8 月 7 日，八七水災造成佳保臺經久良栖至豐原間八仙山林業鐵路軌道毀壞嚴重。 • 10 月，林務局決定開闢運材新線，由久良栖架橋連接橫貫公路，利用貨車運出。 • 8 月，東勢高工伐木製材科成立。
1960	• 2 月，「大甲林區管理處」成立，合併八仙山林場與臺中山林管理所。 • 2 月，「大雪山示範林區管理處」成立，僅負責林政業務，伐木作業由林業公司負責。林區管理與林政工作分流。 • 7 月 15 日，久良栖長青橋落成通車，揭開林木公路運輸的新里程。
1961	• 石岡到豐原之五分車軌道拆除。
1963	• 10 月，大甲林區管理處所轄「八仙山林場」直營伐木事業結束。
1964	• 5 月，大雪山林業公司製材廠落成。
1974	• 解散大雪山林業公司，併入大雪山示範林區管理處，等同宣示「林業經濟」時代的結束。
1976	• 東勢高工伐木科改為家具木工科。
1978	• 林務局在林政組下成立了「森林遊樂課」。
1985	• 12 月 13 日，〈森林法〉公布實施，第 17 條：「森林區域內，得視環境條件，設置森林遊樂區」。 • 林務局成立森林遊樂組，同時完成國有林森林遊樂資源之調查、評估工作。 • 八仙山林場全面停止伐木作業，森林遊樂區正式對外開放。

年代	事件
1988	• 3 月，百位大專院校教授聯署，於植樹節當天在自立早報提出全版「搶救臺灣森林聯合宣言」。
1989	• 政府明令禁止伐採針一級天然林，包括紅檜、扁柏、臺灣杉、香杉、肖楠這五種高貴針葉木的天然林，成為臺灣林業重要的里程碑。 • 農委會訂定發布了〈森林遊樂區設置管理辦法〉，林務局森林遊樂組改組為「森林育樂組」。 • 7 月，東勢林區管理處成立（合併大甲林區管理處、大雪山示範林區管理處），時隸屬於臺灣省政府農林廳林務局。
1992	• 臺灣全面禁伐天然林。
1996	• 正式對外召募八仙山森林遊樂區第一期解說志工。 • 東勢高工增設室內設計科。
1999	• 7 月精省後，東勢林區管理處改隸行政院農業委員會林務局管轄。 • 九二一地震重創八仙山森林遊樂區、松鶴部落。
2004	• 72 水災、824 風災再度造成社區重創，兩條松鶴溪發生土石流事件，造成 1 人死亡、1 人受傷，30 棟房屋遭土石掩埋。 • 行政院農業委員會林務局東勢林區管理處出版《八仙山林場史話》乙書，作者張賜福。
2006	• 林誠牧師根據 103 歲辭世的母親口述回憶，寫下《永恆的回憶錄》未完書稿，書中記錄母親對泰雅祖先的傳說與智慧，詳細記載德芙蘭（松鶴）部落週邊的歷史與聚落發展。
2008	• 「八仙山自然教育中心」成立。 • 行政院農業委員會林務局東勢林區管理處出版《八仙山傳奇軼事》乙書，主編王國雄。
2014	• 10 月 29 日，八仙山莊與餐飲部委外由台中商旅集團經營管理。

參考文獻 References

第二章｜參考文獻

書籍

1. 臺中廳蕃務課，《臺中廳理蕃史》，臺北：臺灣日日新報社，1914 年。
2. 鈴木秀夫，《臺灣蕃界展望》，臺北：臺灣總督府，1935 年。
3. 王世慶，《清代臺灣社會經濟》，臺北：聯經出版社，1994 年。
4. 張賜福，《八仙山林場史話》，臺中：行政院農業委員會林務局東勢林區管理處，2004 年。
5. 楊秋霖，《臺灣的國家森林遊樂區》，新北：遠足文化，2004 年。
6. Kawas · wilang（林誠），《永恆的回憶錄》，未出版，2006 年。
7. 王國雄，《八仙山傳奇軼事》，臺中：行政院農業委員會林務局東勢林區管理處，2008 年。
8. 森丑之助著，楊南郡譯，《生蕃行腳：森丑之助的臺灣探險》，臺北：遠流出版社，2012 年。
9. 釋自曜主編，《在闇夜裡點燈——香光尼僧團「九二一」震災協助重建紀實》，臺北：伽耶山基金會，2013 年。

期刊

1. 洪廣冀，〈林學、資本主義與邊區統治：日治時期林野調查與整理事業的再思考〉，《臺灣史研究》，第 11 卷第 2 期（2004 年），頁 77-144。
2. 廖萬正，〈臺灣梨栽培技術之發展〉，《臺中區農業改良場特刊》，第 75 期（2005 年），頁 47-54。

論文

1. 馬騰嶽，《分裂的民族與破碎的臉：「泰雅族」民族認同的建構與分裂》，新竹：國立清華大學人類學研究所碩士論文，2002 年。
2. 鄭安晞，《日治時期蕃地隘勇線的推進與變遷（1895 年～1920 年）》，臺北：國立政治大學民族學系博士論文，2011 年。

報紙

1. 防蕃增員（1900 年 03 月 07 日）。臺灣日日新報（漢文版），第 03 版。
2. 中部推進隘勇線功成（1903 年 10 月 23 日）。臺灣日日新報社，第 02 版。
3. 探險阿冷番社（1904 年 07 月 09 日）。臺灣日日新報（漢文版），第 03 版。
4. 探險蕃界温泉（1907 年 08 月 28 日）。臺灣日日新報（漢文版），第 03 版。
5. 臺中檜林製材（1911 年 11 月 25 日）。臺灣日日新報（漢文版），第 02 版。
6. 白狗大山探險（1916 年 07 月 03 日）。臺灣日日新報（漢文版），第 03 版。
7. 臺中理蕃成功，隘勇線の撤廢（1917 年 06 月 17 日）。臺灣日日新報社，第 02 版。
8. 曾麗芳（2014 年 10 月 29 日）。台中商旅集團，八仙山莊開幕迎賓。工商時報，臺中報導。

網路

1. 鳥居龍藏的世界網站資料：http://torii.akazawa-project.jp/（搜尋日期：2018/7/5）。
2. MIT 臺灣誌　陡來陡去　熊登谷關七雄　唐麻丹山　出發！：https://www.youtube.com/watch?v=gCWNK5hcT9I（搜尋日期：2018/7/7）。
3. 臺電月刊（王國雄），大甲溪發電廠區域文史調查──訪談青山事件泰雅遺族：http://tpcjournal.taipower.com.tw/article/index/id/221（搜尋日期：2018/7/9）。
4. 原住民數位博物館，泰雅族：http://www.dmtip.gov.tw/web/page/detail?l1=2&l2=33&l3=19&l4=29（搜尋日期：2018/7/12）。
5. 原住民族南島臺灣，泰雅族「斯拉茂戰役」與莫那‧魯道：https://goo.gl/141giZ（搜尋日期：2018/7/16）。
6. 史前館電子報，臺灣蕃族調查第一人──森丑之助：http://beta.nmp.gov.tw/enews/no214/page_01.html（搜尋日期：2018/7/19）。

7. 臺灣原住民族資訊資源網，南勢部落：http://www.tipp.org.tw/tribe_detail3.asp?City_No=9&TA_No=8&T_ID=433（搜尋日期：2018/7/19）。

8. 臺灣原住民族資訊資源網，哈崙臺部落【Hrung】：http://www.tipp.org.tw/tribe_detail3.asp?City_No=9&TA_No=8&T_ID=425/（搜尋日期：2018/7/19）。

9. 臺灣山林悠遊網，國家森林遊樂區：http://recreation.forest.gov.tw/RA/RA_index.aspx（搜尋日期：2018/7/21）。

10. 臺灣大百科全書，隘勇線：http://nrch.culture.tw/twpedia.aspx?id=3721（搜尋日期：2018/7/21）。

11. 八仙山國家森林遊樂區解說摺頁：http://recreation.forest.gov.tw/RA/DM/0300002_DM.pdf（搜尋日期：2018/7/23）。

第三章 | 參考文獻

書籍

1. 蘇昭旭，《臺灣輕便鐵道小火車》，臺北：人人出版，2011 年。
2. 王國雄，《八仙山傳奇軼事》，臺中：行政院農業委員會林務局東勢林區管理處，2008 年。
3. 張賜福，《八仙山林場史話》，臺中：行政院農業委員會林務局東勢林區管理處，2004 年。
4. 臺灣總督府民政部殖產局編，《臺灣造林指針》，1912 年。

論文

1. 陳伯炎，《日治時期官營林業 —— 以八仙山為例（1915 年～ 1945 年）》，國立中央大學歷史研究所碩士論文，2000 年。

期刊

1. 吳明勇，〈日治時期臺灣總督府阿里山作業所建立之歷史考察（1910年～1915年）──以官制、分課規程與人事結構為中心〉，《人文研究期刊》，第 9 期（2011 年），頁 81-133。
2. 洪廣冀，〈林學、資本主義與邊區統治：日治時期林野調查與整理事業的再思考〉，《臺灣史研究》，第 11 卷第 2 期（2004 年 12 月），頁 77-144。
3. 臺灣史研究·第十七卷第二期。
4. 李依陵、黃建中、何幸霖，〈林務局所藏日治與戰後林業檔案簡介〉，《臺灣史研究》，第 17 卷第 2 期（2010 年 6 月），頁 213-241。

報紙

1. 臺中檜林製材，（1911 年 11 月 25 日）。臺灣日日新報（漢文版），第 03 版。
2. 八仙山森林報告，（1914 年 5 月 23 日）。臺灣日日新報，第 03 版。
3. 武德殿の工事，（1913 年 6 月 8 日）。臺灣日日新報，第 07 版。
4. 臺中八仙山の價值──久保技師探險談，（1914 年 5 月 20 日）。臺灣日日新報，第 02 版。
5. 八仙山の眞相，（1914 年 6 月 26 日）。臺灣日日新報，第 02 版。
6. 八仙山，（1914 年 6 月 28 日）。臺灣日日新報，第 05 版。
7. 踏查蕃界林木，（1914 年 9 月 7 日）。臺灣日日新報，第 03 版。
8. 廳長の檜林探檢，（1914 年 9 月 10 日）。臺灣日日新報，第 07 版。
9. 八仙山伐木之計畫，（1914 年 9 月 24 日）。臺灣日日新報，第 05 版。
10. 視察八仙之確定，（1914 年 10 月 2 日）。臺灣日日新報，第 02 版。
11. 八仙山の視察，（1914 年 10 月 13 日）。臺灣日日新報，第 02 版。
12. 檜材統一計畫，（1914 年 11 月 26 日）。臺灣日日新報，第 02 版。
13. 八仙山道路開鑿，（1914 年 12 月 7 日）。臺灣日日新報，第 03 版。
14. 八仙伐採開始か，（1915 年 1 月 14 日）。臺灣日日新報，第 02 版。
15. 八仙伐採未し豫算不成立の影響，（1915 年 2 月 9 日）。臺灣日日新報，第 02 版。

16. 八仙道路殆んと開通，（1915 年 4 月 2 日）。臺灣日日新報，第 04 版。

17. 八仙伐採準備，（1915 年 5 月 21 日）。臺灣日日新報，第 04 版。

18. 分科會と臺灣問題（廿八日東京發），（1915 年 5 月 29 日）。臺灣日日新報，第 05 版。

19. 八仙山事業準備，（1915 年 7 月 7 日）。臺灣日日新報，第 05 版。

20. 明治神宮用材，（1916 年 3 月 6 日）。臺灣日日新報，第 02 版。

21. 八仙山中の賭博，（1916 年 3 月 6 日）。臺灣日日新報，第 02 版。

22. 檜材收入樂觀，（1916 年 9 月 25 日）。臺灣日日新報，第 02 版。

23. 葫蘆墩圳の水不足，（1916 年 10 月 9 日）。臺灣日日新報，第 02 版。

24. 八仙山檜材流筏，（1916 年 11 月 8 日）。臺灣日日新報，第 02 版。

25. 杣人の負傷，（1916 年 11 月 29 日）。臺灣日日新報，第 02 版。

26. 公園の縊死，（1916 年 12 月 25 日）。臺灣日日新報，第 02 版。

27. 營林局新事業，（1917 年 1 月 13 日）。臺灣日日新報，第 02 版。

28. 木材界恐慌　移入材拂底か原因，（1917 年 1 月 31 日）。臺灣日日新報，第 02 版。

29. 罕丸脱出，（1917 年 5 月 23 日）。臺灣日日新報，第 06 版。

30. 葫蘆墩籌設貯材所，（1917 年 5 月 31 日）。臺灣日日新報，第 05 版。

31. 八仙山作業區域，（1917 年 8 月 30 日）。臺灣日日新報，第 05 版。

32. 運材法改良か　營林局の計畫，（1917 年 9 月 16 日）。臺灣日日新報，第 05 版。

33. 八仙山作業近況（八日臺中電話），（1918 年 2 月 9 日）。臺灣日日新報，第 05 版。

34. 八仙山にて重傷，（1918 年 2 月 24 日）。臺灣日日新報，第 04 版。

35. 八仙山新計畫，（1919 年 8 月 17 日）。臺灣日日新報，第 04 版。

36. 營林事業擴張，（1920 年 1 月 17 日）。臺灣日日新報，第 02 版。

37. 蕃人工夫が營林所の雇員，（1921 年 1 月 27 日）。臺灣日日新報，第 02 版。

38. 伐林與鐵道敷設，（1921 年 9 月 11 日）。臺灣日日新報，第 03 版。

39. 八仙山の火事　損害十萬圓，（1923 年 12 月 20 日）。臺灣日日新報，第 03 版。

40. 豐原土牛間の　私設鐵道は　廿日から營業開始，（1924 年 8 月 5 日）。臺灣日日新報，第 03 版。

41. 臺中に於る　總督の日程，（1925 年 11 月 21 日）。臺灣日日新報，第 02 版。

42. 八仙山視察實業團　八日無事歸中，（1926 年 2 月 9 日）。臺灣日日新報，第 02 版。

43. 八仙山火事，（1926 年 3 月 6 日）。臺灣日日新報，第 04 版。

44. 八仙山殉難者追悼會，（1926 年 12 月 1 日）。臺灣日日新報，第 05 版。

45. 投票發表以來　二十景中に　現れたもの，（1927 年 8 月 4 日）。臺灣日日新報，第 05 版。

46. 山林政策の確立を望む　本島產業の將來のため，（1927 年 2 月 15 日）。臺灣日日新報，第 02 版。

47. 太平山の檜は　國家の至寶　值上げは大局を誤る，（1929 年 5 月 8 日）。臺灣日日新報，第 02 版。

48. 島產木材價格騰落發表　一般需用傾向，（1929 年 5 月 20 日）。臺灣日日新報（漢文），第 08 版。

49. 三井販賣臺灣官杉　營林所收入得維持　外杉少到今後商況可復，（1932 年 4 月 3 日）。臺灣日日新報（漢文），第 08 版。

50. 臺灣檜材銷售內地　本年契約類百萬圓　三井進出代金可完全收入，（1932 年 8 月 11 日）。臺灣日日新報（漢文），第 08 版。

51. 八仙山鐵道の椿事，（1933 年 12 月 2 日）。臺灣日日新報（漢文），第 03 版。

52. 北部景勝　製鳥瞰圖　以裝飾臺博，（1935 年 10 月 29 日）。臺灣日日新報（漢文），第 03 版。

53. 自動車代用燃料　本島產檜油登場　三和興行の試み大成功　值段と供給量に研究の餘地，（1941 年 9 月 12 日）。臺灣日日新報，第 02 版。

54. 臺拓の倍額增資　政府出資財產決定，（1942 年 6 月 04 日）。臺灣日日新報，第 02 版。

55. 木材增產は必須　物資の供給も痛感さる，（1943 年 4 月 15 日）。臺灣日日新報，第 02 版。

56. 八仙山上──慘案小火車翻落懸崖，（1954 年 07 月 27 日）。臺灣民聲日報，第 02 版。

57. 八仙山林場運材新線，（1959 年 10 月 4 日）。臺灣民聲日報，第 02 版。

58. 八仙山林場興建建良栖大橋總工程費一百餘萬，（1960 年 1 月 19 日）。臺灣民聲日報，第 02 版。

59. 久良栖至豐原，運材鐵路中縣民請求修復，（1960 年 1 月 23 日）。臺灣民聲日報，第 02 版。

60. 久良栖長青橋落成通車，貢献木材運輸頗鉅，（1960 年 7 月 15 日）。臺灣民聲日報，第 02 版。

61. 八仙山林場易人孫振東接任，（1948 年 8 月 10 日）。臺灣民聲日報，第 04 版。

62. 八仙山林場員工，不享新待遇恩惠，（1948 年 11 月 29 日）。臺灣民聲日報，第 02 版。

63. 本省林業浩劫，八仙山林場發生大火，（1948 年 12 月 8 日）。臺灣民聲日報，第 04 版。

64. 讀者來函八仙山林場盼當局改善，（1949 年 1 月 17 日）。臺灣民聲日報，第 04 版。

65. 植樹節前夕森林罹災，八仙山發生大火，（1949 年 3 月 12 日）。臺灣民聲日報，第 04 版。

66. 八仙山大火，不是砍光就是燒光，（1949 年 9 月 12 日）。臺灣民聲日報，第 03 版。

67. 復興工作隊，（1949 年 9 月 15 日）。臺灣民聲日報，第 03 版。

68. 索道重建完成，（1949 年 12 月 23 日）。臺灣民聲日報，第 03 版。

69. 八仙山林場長省派鐘毓接充，（1950 年 2 月 3 日）。臺灣民聲日報，第 03 版。

70. 陳院長昨視察　八仙山林場，（1952 年 9 月 23 日）。臺灣民聲日報，第 03 版。

網路

1. 國立臺灣大學圖書館數位典藏館──日治時期繪葉書 http://cdm.lib.ntu.edu.tw/cdm/landingpage/collection/card/（搜尋日期：2018/8/21）

2. 【MIT 臺灣誌】回味林場軼事──八仙山森林步道 https://hiking.biji.co/index.php?q=news&act=info&id=725（搜尋日期：2018/9/3）

3. 維基百科——施合發商行 https://tamsui.dils.tku.edu.tw/wiki/index.php/%
   E6%96%BD%E5%90%88%E7%99%BC%E5%95%86%E8%A1%8C（搜尋日期：
   2018/9/3）

4. 中研院臺灣史研究所臺灣史檔案資源系統 —— 八仙山 http://tais.ith.
   sinica.edu.tw/sinicafrsFront/index.jsp（搜尋日期：2018/9/4）

5. 中研院臺灣史研究所臺灣史檔案資源系統 —— 康健時 http://tais.ith.
   sinica.edu.tw/sinicafrsFront/index.jsp（搜尋日期：2018/9/4）

6. 臺灣文獻館館藏史料查詢系統——綱島正吉 http://tais.ith.sinica.edu.tw/
   sinicafrsFront/index.jsp（搜尋日期：2018/9/4）

7. 臺灣文獻館館藏史料查詢系統 —— 八仙山 http://tais.ith.sinica.edu.tw/
   sinicafrsFront/index.jsp（搜尋日期：2018/9/4）

8. 臺灣文獻館館藏史料查詢系統 —— 康健時 http://tais.ith.sinica.edu.tw/
   sinicafrsFront/index.jsp（搜尋日期：2018/9/4）

第四章｜參考文獻

書籍

臺灣總督府鐵道部著（江慶林譯），《臺灣鐵路史上卷》，南投：臺灣
　　省文獻委員會，1990 年。

報紙

1. 川瀨製糖始業，（1912 年 3 月 17 日）。臺灣日日新報，第 07 版。
2. 東勢角物產會社，（1912 年 5 月 29 日）。臺灣日日新報，第 02 版。
3. 葫蘆墩輕鐵の昨今，（1911 年 7 月 15 日）。臺灣日日新報，第 02 版。
4. 臺中煙草成績（全島にて優位を占む），（1913 年 12 月 3 日）。臺
   灣日日新報，第 02 版。
5. 唯一の電氣工業地，（1917 年 6 月 7 日）。臺灣日日新報，第 02 版。

6. 東勢角の發展（一），（1917年8月14日）。臺灣日日新報，第05版。

7. 本島私鐵補助範圍，（1922年3月13日）。臺灣日日新報，第02版。

網路

行政院前瞻基礎建設計畫 —— 軌道建設：https://www.ey.gov.tw/
　　Page/5A8A0CB5B41DA11E/daa0fa4a-46c7-4b7c-8b52-3520300f8d43/（搜
　　尋日期：2017/9/26）

第五章｜參考文獻

書籍

1. 王國雄，《八仙山傳奇軼事》，臺中：行政院農業委員會林務局東勢
　　林區管理處，2008年。

2. 張賜福，《八仙山林場史話》，臺中：行政院農業委員會林務局東勢
　　林區管理處，2004年。

期刊

1. 劉致昕，〈芬蘭人12歲開始學森林生意〉，《商業周刊》，第1606
　　期（2018年08月23日），頁82-84。

2. 劉致昕，〈奇蹟工廠〉，《商業周刊》，第1606期（2018年08月
　　23日），頁72-80。

報紙

1. 大雪山公路工程，（1956年05月25日）。中國日報，第03版。

2. 全省規模最龐大大雪山製材廠近期正式開工，給本省經濟帶來新希望，（1964 年 06 月 30 日）。民聲日報，第 05 版。

網路

1. MIT 臺灣誌回味林場軼事，走在臺灣的脊樑上【第 11 集】回味林場軼事——八仙山森林步道（2011 年 11 月 29 日）：https://www.youtube.com/playlist?list=PLOaXDzm2PT9Fi76OYFEhtz9zEKQoY8bbJ/（搜尋日期：2018/8/21）

2. 別國的森林砍不完？臺灣進口木材 3 成非法（2016 年 04 月 01 日）：https://www.newsmarket.com.tw/blog/83518/（搜尋日期：2018/9/21）

3. 大馬森林盜伐嚴重 民團呼籲臺灣抵制進口（2016 年 04 月 01 日）：https://www.newsmarket.com.tw/blog/83523/（搜尋日期：2018/9/21）

4. 樹也會老 人造林 20 年然後呢？（2016 年 03 月 29 日）：https://www.newsmarket.com.tw/blog/83475/（搜尋日期：2018/9/21）

5. 臺灣木材自給率 1% 林業復興元年 人工林重返市場（2016 年 12 月 11 日）：https://www.newsmarket.com.tw/blog/90289/（搜尋日期：2018/9/21）

6. 國產木材不該缺席，林務局長林華慶：我們保護自己的人工林，砍別人的原始林（2016 年 12 月 12 日）：https://www.newsmarket.com.tw/blog/103541/（搜尋日期：2018/9/21）

《千面八面：八仙山的百年樣貌》

作　　　者	蔡金鼎・管雅菁
發　行　人	林佳龍
主　　　編	王志誠（路寒袖）
編 輯 委 員	施純福・黃名亨・楊懿珊・林敏棋・陳素秋・林承謨
執 行 編 輯	郭恬孜・陳兆華・錢麗芳・范秀情・蔡珮芸・洪國恩
	林俞君・張甯涵・張景森

出 版 單 位	臺中市政府文化局
地　　　址	臺中市西屯區臺灣大道三段 99 號惠中樓 8 樓
網　　　址	http://www.culture.taichung.gov.tw
電　　　話	04-2228-9111
展 售 處	五南書局／04-2226-0330／臺中市中區中山路 6 號
	國家書店松江門市／02-2518-0207／臺北市中山區松江路 209 號 1 樓

編 輯 製 作	遠景出版事業有限公司
負 責 人	葉麗晴
主　　　編	賴雯琪
執 行 編 輯	吳建衛
封 面 插 畫	鄭硯允
美 術 設 計	高仕宇
內 文 排 版	李佩瑜

地　　　址	新北市板橋區松柏街 65 號 5 樓
電　　　話	02-2254-2899
傳　　　真	02-2254-2136
劃 撥 戶 名	晴光文化出版有限公司
劃 撥 帳 號	19929057
總 經 銷	紅螞蟻圖書有限公司

初　　　版	中華民國 107 年 12 月
定　　　價	新臺幣 300 元
G P N	1010702329
I S B N	978-986-05-7877-5

國家圖書館出版品預行編目資料

千面八面：八仙山的百年樣貌／蔡金鼎，管雅菁　著
－初版－臺中市：中市文化局，民 107.12
面；　公分．－（臺中學．2018）

ISBN 978-986-05-7877-5(平裝)

733.9/115　　　　　　　　　　107021675

版權所有　未經許可禁止翻印或轉載